NOUVEAUX PROGRAMMES 2016

CE2

RICHARD ASSUIED

ANNE-MARIE RAGOT

Coccinelle

Livre de Français

# CAHIER D'ACTIVITÉS

D1273703

Ce cahier appartient à :

_____

_____

Hatier

# SOMMAIRE

© Hatier, Paris, 2016

ISBN : 978-2-218-98806-6

# 1 Le bord de mer

Tu es au bord de la mer.
Échange tes impressions avec tes camarades :
Que vois-tu ? Qu'entends-tu ? Que sens-tu avec ton nez et avec tout ton corps ?
Aimes-tu cet endroit ? Qu'aimerais-tu y faire ?

Les mots du bord de mer

# Je me présente, je présente

**1** Je retrouve dans le texte le moment où Alexandre et Simo se rencontrent.
Je joue la scène avec un camarade ou une camarade.

**2** Tu es nouveau dans l'école. Tu fais connaissance avec tes camarades.
Jouez la scène à deux. Utilisez le vocabulaire donné dans les bulles
et ajoutez d'autres informations que vous avez envie de partager.

**3** J'associe ce que disent les personnages aux situations de communication.
Puis, deux par deux, continuez les dialogues.

Bonjour. Je m'appelle Louis
Martin. Je viens d'emménager
au 3ᵉ étage.

Je vous présente Sophie,
ma petite sœur. Elle est au CM1.

Je vous présente Élise qui va
faire partie de notre équipe.

Voici Hugo, mon copain de
l'école. Je t'en ai déjà parlé.

# 1 J'écoute et je comprends

**1** Les phrases que j'entends parlent-elles du passé ? du présent ? du futur ?
Je coche.

|         | 1 | 2 | 3 | 4 | 5 | 6 | 7 | 8 | 9 | 10 |
|---------|---|---|---|---|---|---|---|---|---|----|
| passé   |   |   |   |   |   |   |   |   |   |    |
| présent |   |   |   |   |   |   |   |   |   |    |
| futur   |   |   |   |   |   |   |   |   |   |    |

**2** J'écoute les mots. Je coche si j'entends le son /k/.

| 1 | 2 | 3 | 4 | 5 | 6 | 7 | 8 | 9 | 10 |
|---|---|---|---|---|---|---|---|---|----|
|   |   |   |   |   |   |   |   |   |    |

**3** Pour construire ces bateaux, de quel matériel a-t-on besoin ?
J'écoute les quatre listes de matériel.
Sous chaque bateau, j'écris le numéro de la liste qui lui correspond.

| liste n° _____ | liste n° _____ | liste n° _____ | liste n° _____ |

**4** J'écoute le texte et je réponds aux questions.

a. Je complète le tableau : je coche ce que j'ai compris.

|                            | rame | voile | sur les fleuves | sur la mer |
|----------------------------|------|-------|-----------------|------------|
| les hommes préhistoriques  |      |       |                 |            |
| les Égyptiens              |      |       |                 |            |
| les Phéniciens             |      |       |                 |            |

b. Je coche ce que j'ai compris.

Ce bateau est : préhistorique ☐
égyptien ☐
phénicien ☐

c. J'écris un titre pour ce texte.

# L'enfant et le dauphin (épisodes 1 à 3)

**1** Depuis le début de ta lecture, tu as fait connaissance avec Alexandre.
Écris ce que tu sais de lui, ce que tu penses de lui.

**2** Explique comment tu comprends la phrase en gras.

Le lendemain soir, alors que le garçon quittait l'école, de gros nuages noirs
obscurcissaient le ciel. Le vent hurlait, soulevant rageusement le sable.
Une violente tempête se préparait.
Tête baissée, le garçon courut le long du rivage. **Des milliers de petits grains
dorés s'engouffraient dans sa chemise et le piquaient.**

**3** Alexandre et Simo ont peut-être un point commun. Lequel ?

**4** Recopie un mot que tu as aimé dans le début de cette histoire.

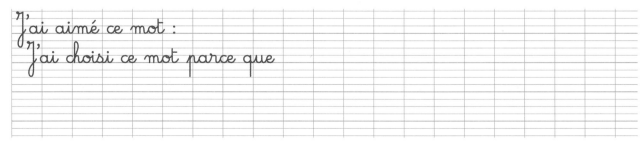

J'ai aimé ce mot :
J'ai choisi ce mot parce que

# 1 À vol d'oiseau

Où va-t-il, l'oiseau sur la mer ?
Il vole, il vole...
A-t-il au moins une boussole ?

Si un coup de vent
Lui rabat les ailes,
Il tombera dans l'eau
Et ne sait pas nager.

Et que va-t-il manger ?
Et si ses forces l'abandonnent,
Qui le secourra ? Personne.

Pourvu qu'il aperçoive à temps
Une petite crique !
C'est tellement loin, l'Amérique...

*L'oiseau sur la mer*, © Michel LUNEAU

**1.** Le poète s'inquiète. Pourquoi ?

**2.** Comment le poète répond-il à la question du premier vers ?

**3.** Imagine d'autres endroits où l'oiseau pourrait se reposer pendant sa traversée. Continue le poème. Écris une dernière strophe avec tes idées.

Pourvu qu'il aperçoive à temps

**4.** Illustre le poème.

# La ponctuation

Pour bien me préparer à lire à haute voix :
– je lis le texte silencieusement,
– je vérifie que je le comprends bien,
– je repère les virgules et les points. Je me prépare à faire des pauses.

**1** J'entoure les virgules en vert. Puis je me prépare à lire à haute voix.
Je m'arrête un peu aux virgules mais je ne baisse pas la voix. Je dois faire comprendre
que la phrase va continuer.

1. On raconte qu'il y a deux mille ans de cela, sur les rives de la Méditerranée,
vivait un petit garçon très pauvre qui s'appelait Alexandre.

2. Le soir, il rentrait après les autres, et jouait sur le sable, solitaire.

3. Un soir d'avril, alors qu'il marchait au bord de l'eau, Alexandre entendit
des petits cris stridents.

4. Le cœur battant, Alexandre s'immobilisa, scrutant la plage.

**2** Je souligne la partie du texte qui me fait comprendre
comment je dois lire à haute voix.
**Puis je lis seulement ce que dit Alexandre.**

1. Qui peut bien m'appeler ? s'étonna le garçon. Il n'y a personne ici à part moi !

2. Ah, c'est toi que j'ai aperçu hier ! s'exclama le garçon fou de joie.
Quel bonheur de te revoir !

3. Le garçon tremblait d'émotion.
– Comme tu es beau ! murmura-t-il.

**3** J'entoure les différents points.
Je fais entendre la différence entre le moment où Alexandre
s'adresse au dauphin et le moment où il se parle à lui-même, dans sa tête.

– Tu veux du pain ? Alors profites-en ! Il ne m'en reste presque jamais le soir.
– « Tant pis. Il n'a surement pas faim. »

**4** J'entoure les différents points et les virgules.
Avec un camarade, je lis le dialogue entre Alexandre et son père.

LE PÈRE.    C'est étonnant. Il est très rare qu'un dauphin s'éloigne de sa famille
pour vivre seul.

ALEXANDRE.    Simo est peut-être orphelin ? Dans ce cas, je pourrais le consoler.
Moi non plus, je n'ai pas de maman...

LE PÈRE.    Et tout comme toi, il est certainement très courageux. Allez maintenant,
va vite te coucher !

# 1 La phrase

- Une **phrase est** une suite de mots qui a un sens.
- **Quand je parle,** je fais des phrases. Celui qui m'écoute me comprend.
- **Quand j'écris,** je commence toujours ma phrase par une majuscule.
  Je la termine par un point.
  J'écris une phrase.

**1** Je sépare les phrases par un double trait.

> La peau des jeunes enfants est délicate. Il faut la protéger contre le soleil.
> Leurs yeux aussi sont fragiles. Avec un chapeau à larges bords et des lunettes
> de soleil, ils ne risqueront rien.

**2** Je retrouve les phrases. Je les recopie avec les majuscules et les points.

   **1.** on ne peut pas ouvrir la porte à cause du bruit

   **2.** on ne peut pas ouvrir la porte est bloquée

**3** Dans cette phrase, un mot n'est pas à sa place.
Je remets le mot à sa place et je recopie.

   Il y a dans des travaux la rue.

**4** Avec ces trois mots, j'écris une phrase pour chaque dessin.

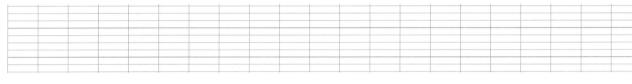

| le bus | la classe | attend |

# Le verbe

- **Le verbe** est le seul mot de la phrase qui change quand on parle du passé, du présent ou du futur.

  *Je marche, je marcherai, j'ai marché,* c'est le verbe _____.

  _____ est l'**infinitif** du verbe.

- **La conjugaison** du verbe, c'est le changement du verbe
  – avec le temps
  – avec les pronoms de conjugaison :

  | singulier | | pluriel | |
  |---|---|---|---|
  | 1re personne | je | 1re personne | nous |
  | 2e personne | tu | 2e personne | vous |
  | 3e personne | il, elle | 3e personne | ils, elles |

- Les pronoms de conjugaison sont **des sujets du verbe**.

**1** **Je souligne les phrases qui parlent du futur. J'entoure le verbe.** ──────

1. Julie offrira un collier de perles à sa sœur pour son anniversaire.

   Elle a fabriqué ce cadeau en secret.

2. Je prépare mon pull, mon bonnet et mes gants. Demain, il fera très froid.

**2** **J'écris l'infinitif du verbe.** ──────

je bois : _____       vous racontez : _____

tu dormais : _____       ils traverseront : _____

**3** **Dans ces trois phrases, c'est le même verbe qui est conjugué.**
**Je le recopie avec son pronom sujet. Puis j'écris son infinitif.**

J'ai montré ma chambre à mes amis. _____

Nous montrerons nos travaux à nos parents. _____

Elle montre les papiers de sa voiture aux policiers. _____

C'est le verbe _____

**4** **J'entoure la forme du verbe qui convient.** ──────

je lirai
Ce soir, je jouerai avec mon frère, puis ◄───── j'ai lu     un peu avant de m'endormir.
je lisais

# 2 En liberté ou en captivité ?

On a demandé à des enfants ce qu'ils pensent des zoos.

Je pense que les animaux sont mieux en liberté. Au zoo, ils n'ont pas beaucoup d'espace.

J'aime bien le zoo, parce qu'on peut voir tous les animaux du monde.

Il y a des espèces menacées qui n'ont plus d'endroit pour vivre. Dans les zoos, elles sont protégées. Elles peuvent se reproduire.

Par exemple, l'antilope oryx dammah a disparu à l'état naturel.

On n'a pas le droit d'emprisonner les animaux sauvages.

Et toi, qu'en penses-tu ? Continue la discussion avec tes camarades.

## Les mots de notre discussion

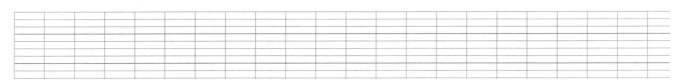

# Je demande de l'aide, je propose de l'aide, j'accepte de l'aide

- Tu proposes de l'aide à la maitresse.
  Elle te répond.

- Tu proposes à ta maman de l'aider.
  Elle te répond.

- Tu n'arrives pas à construire ton jeu.
  Tu demandes de l'aide.
- Tu vois que ton copain a du mal.
  Tu lui proposes de l'aider.

- Tu as fait une chute à vélo. Tu as mal.
  Tu demandes l'aide d'un camarade
  ou d'une camarade.
  Il (ou elle) te répond.

| Pour proposer de l'aide | Pour demander de l'aide |
|---|---|
| Est-ce que je peux vous aider ? | S'il te plait, est-ce que tu peux m'aider ? |
| Je peux t'aider ? | Je n'y arrive pas. |
| Je peux te donner un coup de main ? | J'ai un problème. |
| Tu as besoin d'aide ? | Je ne sais pas comment faire. |
| Est-ce que vous avez besoin d'aide ? | Aide-moi s'il te plait. |
| | J'ai besoin d'aide. |

**Pour accepter**

Oui. Merci beaucoup.
Je veux bien.
Oui, si tu veux.
Volontiers, merci.
C'est gentil. Merci.
Oui, avec plaisir.

**Pour accepter**

D'accord.
Je vais t'aider.
Je vais te donner un coup de main.
Dis-moi comment je peux t'aider.

# 2 J'écoute et je comprends

**1** J'écoute les phrases. Je coche ce que je comprends.

|  | 1 | 2 | 3 | 4 | 5 | 6 | 7 | 8 |
|---|---|---|---|---|---|---|---|---|
| On pose une question. |  |  |  |  |  |  |  |  |
| On exprime une émotion (la surprise, l'excitation…). On appelle. |  |  |  |  |  |  |  |  |
| On fait comprendre qu'on hésite, qu'on n'a pas fini de parler. |  |  |  |  |  |  |  |  |

**2** J'écoute la phrase. Je marque la ponctuation.

En arrivant  j'ai posé mes chaussures dans l'entrée  j'ai enlevé mon manteau et mon bonnet  j'ai ouvert la porte de la cuisine pour voir si maman était là  j'ai jeté mon cartable sur mon lit et j'ai crié bien fort  « Maman  Où es-tu   »

**3** J'écoute les mots. Je me demande : est-ce que j'entends

/ɑ̃/ comme à la fin de océan ?

/ɔ̃/ comme à la fin de poisson ?

/ɛ̃/ comme à la fin de marin ?

|  | 1 | 2 | 3 | 4 | 5 | 6 | 7 | 8 | 9 | 10 |
|---|---|---|---|---|---|---|---|---|---|---|
| océan |  |  |  |  |  |  |  |  |  |  |
| poisson |  |  |  |  |  |  |  |  |  |  |
| marin |  |  |  |  |  |  |  |  |  |  |

**4** J'écoute et je dis ce qui change : la personne ? le moment ? la personne et le moment ?

|  | phrases 1 et 2 | phrases 3 et 4 | phrases 5 et 6 | phrases 7 et 8 | phrases 9 et 10 |
|---|---|---|---|---|---|
| la personne |  |  |  |  |  |
| le moment |  |  |  |  |  |

**5** J'écoute puis je réponds à la question.

Que vont faire Lucas et Iris ?

manuel p. 20-21, 24-25, 28-29

# L'enfant et le dauphin (épisodes 4 à 6)

**1** Alexandre ne monte pas tout de suite sur le dos de Simo. Pourquoi ? 
Explique ce que tu as compris.

**2** Comment apprend-il à chevaucher Simo ?

**3** Choisis dans cette histoire un moment qui t'a rendu(e) triste. 
Explique pourquoi tu as été triste.

Choisis un moment qui t'a rendu heureux, qui t'a rendue heureuse. 
Explique pourquoi tu as été heureux, ou heureuse.

**4** Donne un titre à chaque épisode de l'histoire.

Épisode 1 :

Épisode 2 :

Épisode 3 :

Épisode 4 :

Épisode 5 :

Épisode 6 :

**5** Pense à l'amitié. Écris quelques mots qui te viennent à l'esprit.

# 2 Du texte au schéma

Pendant les quatre mois les plus chauds de l'année, la baleine à bosse vit dans les eaux froides de la mer de Norvège. Là, elle dispose d'une énorme quantité de nourriture, le krill, constitué de millions de petites crevettes. Elle grossit beaucoup et fait des réserves de graisse.

À la fin du mois de septembre, elle part pour un long voyage de deux mois vers les eaux plus chaudes des côtes de l'Afrique pour donner naissance à son petit. En effet, le baleineau nouveau-né n'est pas assez résistant pour supporter les eaux froides du nord.

Il y a très peu de nourriture pour la baleine dans les eaux chaudes, mais les réserves de graisse de la maman baleine lui permettent de ne pas mourir de faim et aussi de bien allaiter son petit.

Quand le baleineau est devenu assez résistant, vers le mois d'avril, tout le monde remonte vers le nord, pour retrouver une nourriture abondante.

**1** Dessine le trajet de la baleine entre la mer de Norvège et les côtes de l'Afrique. ───────

**2** Complète la légende. Écris ──────────────────
   – les dates de départ et d'arrivée des voyages,
   – ce que fait la baleine.

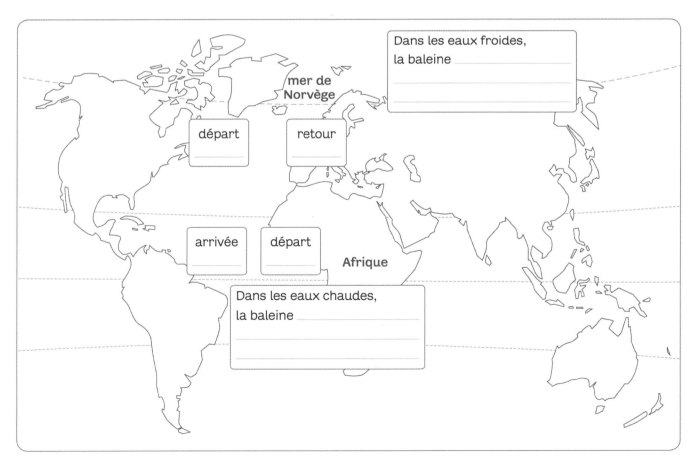

# J'organise une liste et je l'écris

 Quand une liste est bien organisée,
c'est plus facile de l'utiliser et de ne rien oublier !

**Avant de sortir en mer, le père d'Alexandre écrit plusieurs listes, pour ne rien oublier.**

Chaque matin, le père d'Alexandre prépare son départ à la pêche. Il emporte dans sa barque un bonnet, un vêtement chaud, une grande cape imperméable, un peu de pain, du fromage, quelques biscuits, une poignée d'olives, un fruit et une petite bonbonne d'eau douce. Il charge son filet, ses lignes, ses hameçons, ses paniers et les appâts préparés la veille au soir. Il emporte toujours aussi un marteau, quelques clous et une planche : s'il touche un rocher, il aura peut-être besoin de faire une réparation d'urgence. Il n'oublie pas non plus un petit bouquet de plantes et un linge propre : il lui est déjà arrivé de se blesser et il faut se soigner tout de suite.

 Écris les listes du père d'Alexandre. Donne un titre à chaque liste.

# 2 Le nom et son déterminant

> - Les mots qui font comprendre que c'est le singulier ou le pluriel s'appellent des déterminants.
> *Le, la, un, une, les, des, plusieurs, deux, ton, ta, ce, cette, ces...* sont des déterminants.
> - Le déterminant commande le singulier ou le pluriel du nom.
> - Le déterminant et le nom forment le groupe nominal.
>
> J'écris un groupe nominal
> – au singulier : _____ – au pluriel : _____
>
> - Le nom est masculin quand on dit *un..., le...* : _____
>
> féminin quand on dit *une..., la...* : _____

**1** J'entoure les déterminants du singulier.
Je souligne les déterminants du pluriel.

une amitié – le plaisir – les jeux – une fatigue – ce dauphin

plusieurs années – les rencontres – des tempêtes – la plage – ces amis

cette situation – le dos – des barques – quelques minutes – l'eau

**2** Je colorie les objets
qui ont un nom féminin.

**3** À côté de chaque groupe nominal, j'écris s'il est
masculin (M) ou féminin (F), au singulier (S) ou au pluriel (P).

le gouter (MS) – deux tartines _____ – la confiture _____

des champions _____ – mes pieds _____ – quelques feuilles _____

l'escalier _____ – mon vélo _____ – une route _____ – les outils _____

## • Le mot caché •

- J'écris les noms au singulier sur les lignes vertes
les noms au pluriel sur les lignes roses.

| les vêtements |
| le rivage |
| un dauphin |
| des rencontres |
| le sifflement |
| les vagues |

- Je lis le mot dans la colonne jaune. Je le recopie. _____

# Le présent du verbe *être* et du verbe *avoir*

J'écris les conjugaisons.

| être | |
|---|---|
| je _____ | nous _____ |
| tu _____ | vous _____ |
| il _____ | ils _____ |
| elle _____ | elles _____ |

| avoir | |
|---|---|
| j' _____ | nous _____ |
| tu _____ | vous _____ |
| il _____ | ils _____ |
| elle _____ | elles _____ |

**1** J'entoure le verbe dans chaque phrase. J'écris son infinitif.

Dans notre classe, nous avons un élevage d'escargots. _____

Leur maison est une grande caisse. _____

Elle a un toit transparent et percé de trous. _____

Nous avons la responsabilité d'apporter de la salade, chacun à notre tour. _____

Nous sommes aussi obligés de nettoyer la caisse deux fois par semaine. _____

Les escargots ont besoin d'humidité pour vivre. _____

Cette semaine, je suis responsable de l'arrosage du sol. _____

Les bébés escargots sont tout petits. _____

Ils ont une coquille très mince. _____

Tous nos escargots sont avec nous sur la photo de classe. _____

**2** être ou avoir ? J'écris l'infinitif du verbe.

**1.** Tu es en retard ce matin. _____     **2.** J'ai froid. _____

**3.** Tom et Léo sont malades. _____     **4.** Ils ont la grippe. _____

**5.** La classe est bruyante. _____     **6.** J'ai du mal à travailler. _____

**3** Je complète avec la forme du verbe qui convient.

**1. *es – est***     Marie _____ très grande. Tu _____ plus petite qu'elle.

**2. *a – as***     Tu _____ une balle rouge. Mathieu _____ une balle bleue.

**3. *ai – es – est***     J' _____ besoin d'un livre. Il _____ sur le dernier rayon de la bibliothèque. Tu _____ grand. Tu peux me le donner ?

# 3 | Cachecache

**1** Dix animaux se cachent dans la forêt. ────────
Retrouve-les. Dis où ils sont, pourquoi il est difficile de les trouver.

**2** Quatre enfants jouent aussi à cachecache dans la forêt. ────────
Retrouve-les. Dis où ils sont.

**3** Choisis un animal ou un enfant. ────────
Donne des indices à tes camarades pour qu'ils le trouvent.

Les mots pour se repérer

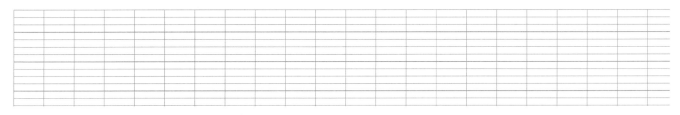

# Je m'étonne

**1** Tu es très étonné. Dis ce que tu ressens, ce que tu penses.

Une grenouille rouge et bleue,
ça t'étonne !

Ils jouent ensemble ?
Ça t'étonne !

C'est incroyable ! Je n'y crois pas. Je n'en crois pas mes yeux !
Mais qu'est-ce que c'est ?
C'est vrai ? Ça existe ? Ce n'est pas possible !
C'est drôle ! C'est curieux ! C'est merveilleux !

**2** Joue les scènes avec tes camarades.

Quelle surprise ! Ce n'est pas vrai ! Vraiment ? Oh non !
Je ne m'y attendais pas ! Ce n'est pas possible ! Ça alors !
Oh là là ! Je n'y crois pas. C'est incroyable !
Je n'en reviens pas !

# 3 J'écoute et je comprends

**1** • Je lis attentivement les phrases deux par deux.
Puis j'écoute, et je coche la phrase que j'entends.

   **a.** Pour faire ce gâteau, il faut de la farine, du beurre et deux œufs.

   **b.** Pour faire ce gâteau, il faut de la farine, du beurre et des œufs.

   **c.** Le comédien salue le public.

   **d.** Les comédiens saluent le public.

   **e.** Je choisis une carte postale pour écrire à mon oncle.

   **f.** J'ai choisi une carte postale pour écrire à mon oncle.

   **g.** Avant de dormir, je finis mon livre.

   **h.** Avant de dormir, j'ai fini mon livre.

   **i.** Je veux faire une longue promenade à vélo.

   **j.** Je vais faire une longue promenade à vélo.

**2** **a.** J'écoute l'histoire une première fois.
   Puis je lis attentivement ces mots.

   animateur – envie – facile – jeu – médaille – message – organiser – question – trésor

   **b.** J'écoute à nouveau l'histoire. J'entoure les mots que j'ai entendus.

   **c.** J'invente une phrase qui contient les trois mots qui restent.
   Je la dis oralement.

   **d.** Je place les mots entourés dans la grille.

   **e.** Je lis le mot dans la colonne jaune. Je l'écris.

**3** J'écoute puis je réponds aux questions.

   **1.** Qui est Loustik ?

   **2.** Qui est Pacha ?

# Animaux trompe-l'œil

**1** Les animaux ont deux moyens d'échapper à la vue. ─────────────
Écris le nom de ces deux moyens. Explique en quoi ils consistent.

**2** Cite trois animaux qui se cachent pour attaquer. ─────────────

Cite trois animaux qui se cachent pour se protéger. ─────────────

Cite deux animaux qui se cachent pour se protéger et pour attaquer. ─────────────

**3** Le papillon-chouette et le poisson-papillon échappent à leurs prédateurs ─────────────
de la même manière. Explique comment.

**4** Présente un des animaux de la lecture. ─────────────
Dis pourquoi cet animal t'intéresse.

Claire Benedetti, Maria Jalibert
*Yack'à lire de A à Zèbre*, © Points de suspension, 1999.

**1.** Que raconte la poétesse ?

**2.** Comment l'illustratrice a-t-elle travaillé ?

**3.** Connais-tu le léopard ? Se nourrit-il de poissons, comme l'illustratrice l'imagine ?

**4.** Invente un titre pour ce poème.

# Les liaisons

Je fais la liaison entre deux mots avec le son /z/ :
quand le premier se termine par *s* ou par *x*
et quand le second commence par une voyelle.

**1** Je me prépare à faire les liaisons, puis je lis à haute voix. ────────

Grâce à leurs couleurs, certains animaux peuvent rester invisibles

aux yeux de leurs ennemis... ou de leurs proies.

**2** Je trace les liaisons, puis je lis à haute voix. ────────

a. Le camouflage des insectes les protège des oiseaux.

b. Le dragon des mers feuillu ressemble aux algues qui l'entourent.

Les autres animaux ne peuvent ni le voir ni l'attaquer.

Je fais la liaison entre deux mots avec le son /t/ :
quand le premier se termine par *t* ou par *d*
et quand le second commence par une voyelle.
Je ne fais jamais la liaison avec *et*.

**3** Je me prépare à faire les liaisons, puis je lis à haute voix. ────────

Le tigre est un très bon chasseur.

Ses rayures permettent au tigre de passer inaperçu dans la jungle ou la savane.

Le crocodile est allongé à la surface de l'eau. Quand un animal s'approche,

il se précipite sur lui.

**4** Je trace les liaisons, puis je lis à haute voix. ────────

Le poisson-pierre est un poisson très dangereux. Les épines de son dos

contiennent un venin très puissant. Quand un baigneur marche sur

un poisson-pierre, sa piqure peut être mortelle.

**5** Je trace les liaisons, puis je lis à haute voix. ────────
Je n'oublie pas les pauses aux virgules et aux points.

**Des insectes invisibles**

Le monde des insectes est plein de dangers. Oiseaux, araignées et lézards

cherchent à les attraper pour les manger. De nombreux insectes sont devenus très doués

pour le camouflage. Ils échappent ainsi à leurs prédateurs.

# 3 L'accord du verbe avec son sujet

- **Le groupe nominal qui commande le verbe est** le sujet du verbe.
- **Le verbe s'accorde avec son sujet.**
  - au singulier : Le crocodile() flott(e) à la surface de l'eau.
  - au pluriel : Les crocodile(s) flott(ent) à la surface de l'eau.
- **Les noms propres aussi peuvent être des sujets du verbe.**
  **Manon** étudi(e) le camouflage des animaux.

  Je sais maintenant que le sujet du verbe peut être :
  un groupe nominal, un nom propre, un pronom de conjugaison.

**1** J'entoure le verbe. Je souligne son sujet.

Le vent casse les branches des arbres. Elles tombent sur la route.

Un panneau avertit les automobilistes du danger.

Jacques ramène ses enfants de l'école. Il voit le panneau. Il roule lentement.

**2** J'accorde le verbe avec son sujet.

**1.** *brule – brulent*     Le jardinier _____ les mauvaises herbes.

**2.** *apprend – apprennent*   Simon _____ à jouer de la trompette.

**3.** *rend – rendent*     Aujourd'hui, les élèves _____ les livres de bibliothèque.

**4.** *range – rangent*     Ils _____ les livres sur les étagères.

**3** Je complète les phrases. Je trouve trois sujets possibles pour le verbe.

| | |
|---|---|
| 1. | *habitent une petite maison.* |
| 2. | *habitent une petite maison.* |
| 3. | *habitent une petite maison.* |

**4** J'écris deux phrases avec ces mots. Je fais attention à l'accord du verbe.

les enfants     le chien     avec     jou(e)

# Le présent

Pour conjuguer au présent, je pense à l'infinitif du verbe.

|  | singulier | | | pluriel | | |
|---|---|---|---|---|---|---|
|  | je, j' | tu | il, elle | nous | vous | ils, elles |
| L'infinitif se termine par *er* | -e | -es | -e | -ons | -ez | -ent |
| Presque tous les autres infinitifs | -s | -s | -t | -ons | -ez | -ent |

J'observe le tableau et je complète la règle.

Avec *tu*, j'écris toujours un _____ à la fin du verbe.

Avec *nous*, j'écris toujours _____ à la fin du verbe.

Avec *vous*, j'écris toujours _____ à la fin du verbe.

**1** Je complète les tableaux de conjugaison. ───────────

| parler | |
|---|---|
| je parl_____ | nous parl_____ |
| tu parl_____ | vous parl_____ |
| il parl_____ | ils parl_____ |
| elle parl_____ | elles parl_____ |

| finir | |
|---|---|
| je fini_____ | nous finiss_____ |
| tu fini_____ | vous finiss_____ |
| il fini_____ | ils finiss_____ |
| elle fini_____ | elles finiss_____ |

**2** J'écris la forme du verbe qui convient. ───────────

**1.** *range – ranges – rangent* Tu _____

**2.** *dis – dit – disent* Je _____

**3.** *partent – partez – part* Vous _____

**4.** *vois – voit – voient* Elle _____

**3** J'écris un pronom de conjugaison qui convient. ───────────

_____ trouvez – _____ devine – _____ répondons – _____ oublient

_____ cherches – _____ part – _____ attendent – _____ sais

**4** J'écris la terminaison du verbe. ───────────

*garder* : tu gard_____ – *sortir* : je sor_____ – *courir* : nous cour_____

*connaitre* : elle connai_____ – *suivre* : vous suiv_____ – *réussir* : ils réussiss_____

**5** Je récris la phrase avec le sujet au pluriel. ───────────

Le castor passe beaucoup de temps dans l'eau.

# 4 | Je me cache, mais c'est bien moi !

- Choisis un masque que tu aimerais porter. Dis pourquoi tu le choisis.
- À ton avis, quel effet ce masque fera-t-il sur ceux qui te regarderont ?
- Parle avec les camarades qui ont choisi le même masque que toi.

Avez-vous les mêmes idées ?

# Le jeu des six émotions

*Chaque case contient une émotion : la joie, la surprise, la tristesse, la peur, la colère ou la timidité.*

Règles du jeu :

1. Seul. Lance le dé et avance ton pion. Sur quelle émotion arrives-tu ?
   Imagine une situation qui a provoqué cette émotion et raconte-la.

2. À deux. Lancez le dé chacun à votre tour et avancez vos pions. Puis jouez la scène :
   chacun parle à l'autre de son émotion, de ce qui l'a provoquée.

> • la joie : être content, heureux, joyeux, excité ; rire.
> • la surprise : être étonné, surpris.
> • la peur : être inquiet, effrayé, paniqué ; trembler.
> • la tristesse : être triste, malheureux, peiné, déçu ; avoir du chagrin.
> • la colère : être furieux, mécontent, fâché, en colère.
> • la timidité : être timide, gêné, penaud ; avoir le trac.

# 4 J'écoute et je comprends

**1** J'écoute la phrase. J'entoure le verbe que j'entends. ───────────

1. va – veut     2. vais – fais     3. venez – voulez

4. vient – tient     5. vont – font     6. viennent – prennent

7. veut – peut     8. a – va     9. allons – avons

**2** J'écoute les verbes et je coche. ───────────

|  | 1 | 2 | 3 | 4 | 5 | 6 | 7 | 8 | 9 | 10 |
|---|---|---|---|---|---|---|---|---|---|---|
| Le verbe est au singulier. |  |  |  |  |  |  |  |  |  |  |
| Le verbe est au pluriel. |  |  |  |  |  |  |  |  |  |  |
| Je ne peux pas savoir. |  |  |  |  |  |  |  |  |  |  |

**3** J'écoute puis je réponds à la question. ───────────

Qui est Julien ?

_____

Que va-t-il faire ?

_____

**4** J'écoute puis je souligne ce que j'ai compris. ───────────

a. Nasreddine est chassé de la fête
 – parce qu'il n'était pas invité.
 – parce qu'il voulait aller manger du couscous à la cuisine.
 – parce que ses vêtements étaient sales.

b. Nasreddine retourne chez lui
 – pour changer de vêtements.
 – parce qu'il est en colère.
 – parce qu'il a faim.

c. Quand Nasreddine revient à la fête, on lui donne à manger et à boire
 – parce qu'il s'est excusé.
 – parce qu'il est bien habillé.
 – parce qu'il retrouve des amis.

d. Nasreddine verse la nourriture et la boisson sur son manteau
 – pour montrer sa colère.
 – parce qu'il aime se salir.
 – pour faire comprendre aux gens qu'ils respectent l'habit et pas la personne.

# Les douze manteaux de Maman

**1** Complète les phrases avec un adjectif.

*Dans le manteau de rose poudrée, Maman est*
*Dans le manteau arc-en-ciel, Maman est*
*Dans le manteau d'ombre, Maman est*
*Dans le super manteau, Maman est*

**2** Pourquoi l'illustratrice a-t-elle dessiné des yeux pour le manteau de feu et le manteau bête noire ? Explique ce que tu comprends.

**3** Quels sont les manteaux que l'enfant n'aime pas ?
Écris le nom de chaque manteau et explique pourquoi il ne l'aime pas.

**4** Et toi, quel manteau préfères-tu ? Explique pourquoi.

# 4 Du texte à la légende de l'image

De la fin du Moyen Âge jusqu'au règne du roi Louis XIV, les rois de France ont eu un bouffon. Ce « fou du roi » est un comédien habile : il sait jongler, faire des acrobaties, des farces, chanter, raconter des histoires, inventer des devinettes.

Le bouffon a le droit d'être insolent, de se moquer du roi et de ses courtisans, de dénoncer leurs défauts. Il n'est pas puni, parce que ces vérités sont dites sur le ton de la plaisanterie, de la raillerie. Bien plus, le roi écoute ce personnage qui lui dit ce que personne n'ose lui dire.

Le bouffon peut parler ainsi parce qu'il est différent de tous : son visage est souvent laid, son corps difforme. Son vêtement aussi le met à part. Il porte une fraise blanche, une jaquette et une culotte bouffante vertes et jaunes. Sur la tête, il a une sorte de grand capuchon pointu avec deux grandes pointes en forme d'oreilles d'âne terminées par des grelots. Une épée de bois dorée est glissée dans sa ceinture. Il tient à la main une marotte au visage grimaçant avec un bonnet semblable au sien. Ce costume représente la folie liée à sa fonction.

**1** Souligne dans le texte les mots que tu ne connais pas. ————————

**2** Choisis deux mots inconnus. Écris. ————————

a. ce que tu comprends avant de chercher dans le dictionnaire, grâce au contexte.

b. les définitions que tu lis dans le dictionnaire.

**3** Écris la légende de cette illustration.

# Avec Maman...

Raconte deux moments que tu aimes passer avec ta maman. ——————— • 33

> *Ce que j'aime, c'est quand*
>
> *C'est aussi quand*

Présente aussi deux moments où vous n'êtes pas d'accord. ———————

Moi, j'aime... mais Maman déteste...

Maman aime... mais je déteste...

> *Moi, j'aime*
>
> *Maman aime*

Illustre ta rédaction.

# 4 L'adjectif qualificatif

L'adjectif qualificatif **apporte des précisions au nom.**
- **L'adjectif qualificatif étend le groupe nominal.** Il fait partie du groupe nominal :
  une histoire drôle – une histoire triste – une histoire connue – une histoire courte
- **L'adjectif qualificatif s'accorde avec le nom qu'il précise :**
  – au masculin ou au féminin : un ballon vert – une toupie verte
  – et au singulier ou au pluriel : des ballons verts – des toupies vertes
- **L'adjectif qualificatif peut être placé :**

– après le nom : _____

– entre le déterminant et le nom : _____

– avant et après le nom : _____

**1** J'entoure l'adjectif dans le groupe nominal.
J'écris si le groupe nominal est masculin **M** ou féminin **F**, au singulier **S** ou au pluriel **P.**

un manteau léger _____          des matins clairs _____

des petites flammes _____          une immense absence _____

**2** Je souligne tous les groupes nominaux. J'entoure les adjectifs qualificatifs.

**a.** L'hiver on met des manteaux chauds, l'été on porte des vestes légères.

**b.** J'aime les brioches moelleuses et le chocolat.

**c.** Des nuages noirs annoncent le mauvais temps.

**d.** Les sorciers terribles, les effrayants dragons restent dans mes livres, ils ne viennent
jamais dans mes rêves.

**e.** Éléonore regarde les jeunes patineuses excellentes qui font des figures difficiles
sur la nouvelle patinoire de la ville.

## • La lettre ajoutée •

Toutes les solutions sont des adjectifs.
Sur chaque ligne, garde les lettres de la ligne précédente,
ajoute une lettre et mélange le tout.

|  | Â | G | É |  |
|---|---|---|---|---|
| Pareil, de même taille. |  |  |  |  |
| Vif, leste, souple. |  |  |  |  |
| Qui a du génie. |  |  |  |  |

|  | S | Û | R |  |
|---|---|---|---|---|
| Malin, trompeur, comme le renard. |  |  |  |  |
| Qui vient de Russie. |  |  |  |  |
| Qui est bien fait, qui a du succès. |  |  |  |  |

# Le présent de quelques verbes fréquents

Quelques verbes très fréquents ne se conjuguent pas comme tous les autres.
Quand je parle, je sais les utiliser.

Je complète les conjugaisons.

| aller | venir | pouvoir | vouloir | faire | prendre |
|---|---|---|---|---|---|
| je vais | je vien____ | je peux | je veux | je fai____ | je prends |
| tu vas | tu vien____ | tu peux | tu veux | tu fai____ | tu prends |
| elle va | il vien____ | elle peu____ | il veu____ | elle fai____ | il prend |
| nous all____ | nous ven____ | nous pouv____ | nous voul____ | nous fais____ | nous ____ |
| vous all____ | vous ven____ | vous pouv____ | vous voul____ | vous faites | vous ____ |
| elles vont | ils viennent | elles peuv____ | ils veul____ | elles font | elles prennent |

**1** Je change le pronom de conjugaison et je récris la phrase.

je ↔ nous, tu ↔ vous, il ↔ ils, elle ↔ elles.

Puis, j'écris l'infinitif du verbe.

1. Nous pouvons aller avec toi au cinéma ?

2. Vous venez ou vous restez ?

3. Il prend trop de risques en vélo.

4. Tu vas au stade ? Je peux y aller aussi ?

5. Elles font trop de bruit.

**2** Je conjugue les verbes au présent.

1. Quand maman (prendre) ____ son manteau d'ombre, je (devenir) ____ triste et je (aller) ____ dans ma chambre.
2. Nous (faire) ____ partie de la chorale de l'école.
3. Les petits (apprendre) ____ le nom des lettres.
4. Est-ce que tu (revenir) ____ la semaine prochaine ?
5. Est-ce que vous (comprendre) ____ la question ?

# 5 … au pays des merveilles

Où sont ces fillettes ? Que leur est-il arrivé ?
Que va-t-il se passer maintenant ?
Raconte.

## Les mots de nos histoires

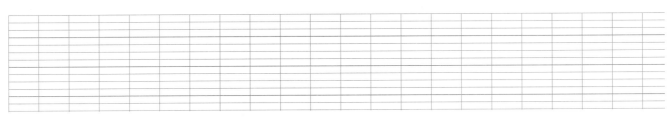

# Je propose, j'insiste ; j'accepte, je refuse

**1** À deux : jouez les scènes.

Un élève ou une élève propose, avec les mots de la bulle ou d'autres mots
du bas de la page. En cas de refus, il insiste.
L'autre accepte ou refuse, dit pourquoi, donne une excuse.

Est-ce que tu veux venir avec nous... ?

On va jouer la pièce *Le Petit Chaperon rouge*. J'ai pensé que tu pouvais jouer le rôle du...

**2** « Pour ton anniversaire, j'ai pensé t'offrir... Es-tu d'accord ? »
Choisissez un cadeau et jouez la scène à deux.

| des rollers | un pull | la maquette d'un squelette de tyrannosaure | un globe terrestre lumineux |
|---|---|---|---|
| des jumelles | un coffret de magie | un déguisement | un ballon de rugby |

**3** Imagine une invitation qui correspond à la réponse
une réponse qui correspond à l'invitation.

Veux-tu venir chez moi ce weekend ?
Mes parents sont d'accord.

Je t'invite à mon anniversaire le 11 mars après-midi.

Merci pour l'invitation.
Bien sûr, je viendrai.
Je ne veux pas rater ça.
À mercredi.

C'est dommage.
J'aimerais bien,
mais j'ai la grippe.

**Proposer :** Est-ce que tu veux... Je t'invite à .... Tu viens... ?
Je te propose de .... On pourrait...
**Insister :** Mais si... Je t'assure que ... N'hésite pas ...
**Accepter :** D'accord. Quelle bonne idée ! C'est vraiment gentil.
Oui, pourquoi pas ? Oui, je veux bien. Oui, avec plaisir. Chouette !
Je veux bien, je vais demander à mes parents.
**Refuser :** Ce n'est pas une bonne idée. Je n'ai pas envie de... Non, merci.
Je ne peux pas, je dois... Merci, mais... C'est gentil, mais...
J'aimerais bien, mais... C'est dommage, mais...

# 5  J'écoute et je comprends

**1** Je lis attentivement les phrases deux par deux.
Puis j'écoute, et je souligne la phrase que j'entends.

a. Un Lapin Blanc est arrivé en courant.

b. Un Lapin Blanc arrivait en courant.

c. La chute d'Alice a duré longtemps, longtemps, longtemps.

d. La chute d'Alice a duré longtemps, longtemps.

e. C'était comme un puits, mais sans eau.

f. C'était comme un puits très profond, mais sans eau.

g. Cette horrible chute s'est enfin terminée.

h. Cette terrible chute s'est enfin terminée.

**2** Antoine va chercher son cousin Michel à l'aéroport. Ils ne se sont encore jamais vus.
La veille de son départ, Antoine a laissé un message sur le téléphone de Michel.
J'écoute le message. Puis j'entoure Antoine sur le dessin.

**3** J'écoute, puis je réponds aux questions.

a. Qu'est-ce que ce monstre ?

*Ce monstre est*

b. Quel est le métier de cet homme ?

*Cet homme est*

# Petite Alice aux Merveilles (épisodes 1 à 3)

Relis les pages 68 et 69.

**1** Observe l'illustration p. 68. Où est Alice quand son rêve commence ?
Comment est-elle installée ?

**2** Colorie le Lapin.
Relève les mots du texte qui justifient ton coloriage.

Relis les pages 72 et 73.

**3** Numérote les dessins dans l'ordre de l'histoire.

Relis les pages 76 et 77.

**4** Pourquoi Alice a-t-elle pleuré ?

Comment Alice a-t-elle rapetissé ?

# 5 La mare de larmes

Quand Alice demande à la souris de lui expliquer pourquoi
elle déteste les chats et les chiens, voici ce que dit la souris :

Fury dit à une souris
Qu'il avait surprise au logis :
« Je te dresse procès verbal ;
Suis-moi donc jusqu'au tribunal.
Inutile de discuter ;
Il faut que ce procès ait lieu,
Car ce matin, en vérité,
Je n'ai à faire rien
de mieux. »

La souris
répond au roquet :
« Mon cher Monsieur,
un tel procès,
Sans jury et sans juge,
Serait irrégulier. » —
« Moi je serai le juge
Et aussi le jury,
Dit le rusé Fury :
Je réglerai ton sort
Par ce verdict : la mort. »

Lewis Carroll, *Les Aventures d'Alice au pays des merveilles*,
traduit par Henri Parisot, © Flammarion.

1. À ton avis, qui est Fury ?

2. Que penses-tu du procès qui va se dérouler ?

3. Pourquoi la souris déteste-t-elle les chiens et les chats ?

4. Pourquoi le poème est-il présenté ainsi ?

- **procès verbal** n.m. Constat de police.
- **roquet** n.m. Petit chien agressif.
  Personne qui parle aux autres de façon désagréable, méchante.

# Suivre et se passer la parole
# Contrôler l'intensité

**1** Lisez ce texte à deux. Au signal, le lecteur change.

Petit Louis s'enfonça très lentement dans la grande forêt. ☞ Bientôt, de tous les côtés, des arbres géants l'entouraient, et, ☞ au-dessus de lui, leurs branches formaient presque une voute, ☞ cachant le ciel.

Ça et là, de petits rayons de soleil brillaient ☞ à travers le feuillage. ☞ Tout était silencieux, ☞ comme dans une immense cathédrale vide. [...]

☞ Petit Louis s'arrêta. ☞ Immobile, il écoutait. ☞ Il n'entendait rien.

☞ Rien du tout. ☞ Le silence était absolu. ☞ Vraiment ? ☞ Qu'était-ce donc ?

**2** Entoure les ponctuations.
Lisez à deux. À chaque ponctuation, le lecteur change.
Préparez-vous pour lire devant vos camarades :

– Pendant que l'un lit à haute voix, l'autre lit en même temps dans sa tête.
  Comme cela, vous pourrez plus facilement vous relayer.

– Essayez de trouver la même manière de lire : il faut faire sentir l'inquiétude,
  la peur qui grandit, chacun à votre tour.

Petit Louis tourna vivement la tête pour fixer les lugubres ténèbres de la forêt.
Encore ! cette fois-ci, il n'y avait pas d'erreur. On entendait au loin un faible
bruissement, comme une petite rafale de vent soufflant à travers les branches.
Le bruit s'amplifiait, soudain bruissant, sifflant, raclant et renâclant, en un mot,
terrifiant, comme si quelque créature gigantesque galopait vers lui, haletante.
Petit Louis s'enfuit.

Roald Dahl, *Les Minuscules*, traduit par Marie Saint-Dizier, © Éditions Gallimard Jeunesse,
www.gallimard-jeunesse.fr. MINPINS © Roald Dahl Nominee Ltd, 1991.

**3** Entoure les ponctuations, marque les liaisons.
Puis lis ce texte trois fois :

– avec ta voix normale

– en chuchotant et en articulant bien

– fort, pour qu'on t'entende de loin.

Un Lapin Blanc est arrivé en courant, très pressé. Et, juste au moment
où il passait devant Alice, il s'est arrêté et il a sorti sa montre de sa poche.
C'est incroyable, non ? Tu as déjà vu un lapin avec une montre et une poche
pour la glisser dedans ?

# 5 L'adjectif qualificatif séparé du nom par le verbe *être*

Quand l'adjectif qualificatif est séparé du groupe nominal sujet par le verbe *être*, il s'accorde avec le sujet du verbe.

J'écris quatre fois l'adjectif *fermé*. Je l'accorde. Je trace la bulle de son accord.

La fenêtre() est _____ .  Le jardin() est _____ .

Les volet(s) sont _____ .  Les maison(s) sont _____ .

**1** Je surligne la forme de l'adjectif qui convient. Je la recopie.
J'indique **MS** pour masculin singulier, **FS** pour féminin singulier,
**MP** pour masculin pluriel, **FP** pour féminin pluriel.

Connaissez-vous les aventures d'Alice ? Cette histoire est *(passionnant – passionnante – passionnants – passionnantes)* _____ .

Son auteur est *(anglais – anglaise – anglais – anglaises)* _____ .

Le Lapin Blanc est *(pressé – pressée – pressés –pressées)* _____ .

Ses vêtements sont *(élégant – élégante – élégants – élégantes)* _____ .

Au fond du terrier, les feuilles étaient *(sec – sèche – secs – sèches)* _____ .

**2** J'accorde l'adjectif.

1. Le lapin est blanc     .     2. Les yeux sont rose     .
3. La veste est brun     .     4. Le mouchoir est rouge     .
5. La cravate est bleu     et le gilet est jaune     .
6. Vraiment, ces vêtements sont élégant     .

## • Les mots croisés d'Alice •

Les six adjectifs sont dans le texte.

1. La couleur de la Reine de Cœur, surtout quand elle est en colère !

2. Quand Alice est …, elle pleure.

3. Alice tombe sur un lit de feuilles qui ne sont pas humides, elles sont…

4. C'est la couleur du Lapin dans l'histoire d'Alice.

5. Drôle de couleur pour des yeux de lapin, mais pas pour une fleur.

6. La clé est …, la porte du jardin est … Alice devient … quand elle boit.

# Les temps du passé

L'imparfait et le passé composé **sont deux temps du passé.**
**Le passé composé est une conjugaison composée de deux parties.**
**Quand je raconte un évènement ou une histoire, je sais utiliser ces deux temps :**
– **l'imparfait** pour présenter les circonstances de l'évènement,
le cadre de l'histoire (où, quand, comment…), le personnage ou les personnages.
– **le passé composé** pour présenter l'évènement, ce qui se produit.

**1** Je souligne les verbes à l'imparfait. J'entoure les verbes au passé composé.

1. En vacances, nous partions souvent en promenade dans la forêt.

2. Est-ce que tu as rangé tes affaires de sport ?

3. J'ai appris ma récitation, puis j'ai joué avec mes amies.

4. Le vent soufflait, les arbres penchaient sur la route, les voitures ralentissaient.

5. Les travaux ont commencé, j'ai entendu le bruit des marteaux-piqueurs.

**2** Je choisis le temps de conjugaison qui va bien dans la phrase.

1. Hier, tu *(as sorti / sortais)* _____ ton vélo car il faisait beau.

2. Notre match *(a duré / durait)* _____ moins longtemps que prévu.

3. Cette nuit, le tonnerre *(a grondé / grondait)* _____ trois fois.

4. Quand nous *(avons été / étions)* _____ au début du CP,

nous *(avons lu / lisions)* _____ encore avec difficulté.

5. À l'école maternelle, j'*(ai aimé / aimais)* _____ le toboggan.

Mais mes jeux favoris *(ont changé / changeaient)* _____.

**3** Je surligne la partie du texte qui donne le cadre de l'histoire.

Quelques lièvres gambadaient dans l'herbe épaisse. Ils dévoraient leurs
bonnes herbes, le trèfle et la luzerne. Mais le temps se gâtait !

Tout à coup, le vent a soufflé en tempête. Les lièvres sont partis, affolés,
droit devant, sans savoir où, à vitesse de lièvre ! Dans leur fuite, ils sont arrivés
à une mare envahie de grenouilles. Quand celles-ci ont vu les lièvres sortir
du champ à toute vitesse, elles ont sauté dans l'eau pour s'y réfugier.

Eh bien, ont pensé les lièvres, nous avons eu peur, comme d'habitude,
mais nous avons réussi, à notre tour, à faire peur à tous ces animaux !

D'après Ésope.

# 6 Les objets magiques

Tu as rencontré ces objets magiques dans des histoires, dans des contes.

- À quoi servent-ils ? Pourquoi sont-ils magiques ?
- Si tu avais une baguette magique, que ferais-tu ?
  Si tu pouvais faire trois vœux, quels vœux ferais-tu ?

Continue à imaginer avec les autres objets.

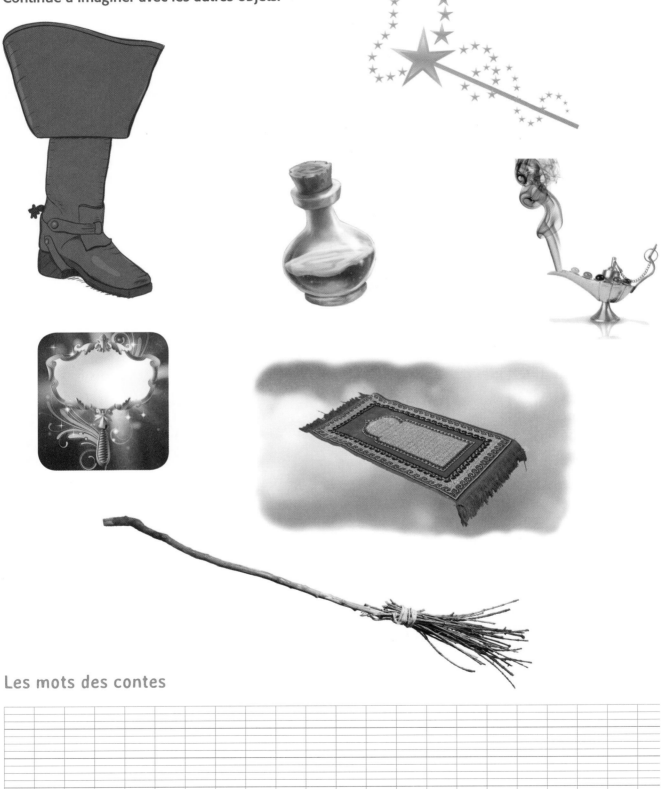

## Les mots des contes

# Je fais des reproches

- À la cantine, Emma vient de renverser
  son plateau. Tu es la surveillante.
  Tu lui fais des reproches.

- Tu joues aux cartes avec un copain.
  Il te reproche de mal jouer.
  Tu lui reproches de tricher.

- Un de tes amis bouscule une vieille dame
  pour monter dans le bus.
  Tu lui fais des reproches.

- En classe, ta voisine n'a jamais ses affaires.
  Elle prend toujours les tiennes.
  Tu le lui reproches.

Tu exagères. Ça suffit. Assez !
Tu sais que ce n'est pas bien de…
Tu ne penses qu'à toi.
Je t'ai déjà dit plusieurs fois…
Je n'arrête pas de te (vous) répéter.
Je ne suis pas d'accord. Je ne supporte pas. Je n'admets pas.
Tu as eu tort.
Il ne faut pas… Il faut…

# 6 J'écoute et je comprends

**1** Un intrus s'est glissé dans certaines phrases.
J'écoute et je barre le mot intrus.

1. La Reine de Cœur voulait un rosier rouge dans ce coin du jardin.

2. Les pauvres petits jardiniers distraits ont planté un rosier blanc à la place.

3. Il y a six grandes roses fleuries sur ce rosier blanc.

4. La Reine allait se mettre en colère contre les jardiniers.

5. Elle donnerait surement l'ordre qu'on leur coupe la tête.

**2** Je barre les mots que je n'entends pas.
J'écris à la fin de la phrase les mots que j'ai entendus.

1. Le Lapin Blanc se tient aux côtés du roi. _____

2. Il est en train de lire la chanson. _____

3. Tout le monde doit comprendre à quel point le Valet est vilain. _____

4. Alice est assise près du banc des jurés. _____

5. Le Lapin Blanc cite Alice comme témoin. _____

**3** J'écoute, puis je réponds aux questions.

**Texte 1** a. Qui pose une question ?

b. Qui répond ?

c. Qui est Anna ?

d. Quel est le problème ?

**Texte 2** a. Où se passe la scène ?

b. Quel est le vrai danger ?

# Petite Alice aux Merveilles (épisodes 4 à 6)

**1** Écris tout ce que tu sais de la Reine de Cœur.

**2** Relis la scène du procès, pages 88, 89 et 92.

Qui est l'accusé ?

De quoi est-il accusé ?

Qui sont les jurés ?

Qui est le témoin ?

Qui prononce la condamnation ?

Quelle est la condamnation ?

Alice craint-elle la Reine de Cœur ? Justifie ta réponse.

# 6 Lire et construire un tableau

**1** Transforme les informations des deux premières lignes du tableau :
écris une phrase pour chaque case.

|  | taille | poids | durée de vie | habitat |
|---|---|---|---|---|
| grenouille | 10 cm | 150 g | 10 ans | mares, étangs |
| taupe | 18 cm | 120 g | 6 ans | galeries (tunnels sous terre) |
|  |  |  |  |  |
|  |  |  |  |  |

*La grenouille mesure*
*La grenouille*
*La grenouille*
*La grenouille*

*La taupe*

**2** Reporte les informations de ces deux fiches d'identité dans les deux dernières lignes du tableau.

**Hérisson**
Taille : 25 cm
Poids : 700 g
Durée de vie : 3 ans
Habitat : broussailles, buissons, jardins

**Lézard**
Taille : 15 cm
Poids : 10 g
Durée de vie : 7 ans
Habitat : endroits pierreux et ensoleillés

**3** Réponds aux questions.

Quel est l'animal le plus léger ?

Quel animal vit le plus longtemps ?

Range les animaux dans l'ordre de leur durée de vie.

# J'ai rétréci !

On t'offre un jour une boite de chocolats. Tu en manges un et … tu rapetisses !
Qui te fait ce cadeau ? Où es-tu quand tu manges ce chocolat ?

À quoi penses-tu, que te dis-tu pendant que tu rapetisses ?

Que fais-tu pour profiter de ta petite taille ?
Comment vois-tu maintenant les choses que tu connais ?

Il t'arrive un petit malheur. Lequel ?

Comment retrouves-tu ta taille normale ?

# 6 Le complément du nom

> • Le complément du nom **apporte des précisions au nom.**
>
> Le complément du nom se compose :
>
> – d'**une préposition** (un mot invariable) : *à, de, avec, en, sur, sous, dans, pour, près de…*
>
> – suivie d'**un nom :**
>
> une cuillère en _____     – un marchand de _____
>
> – ou suivie d'**un groupe nominal :**
>
> un livre sur _____     – la porte de _____
>
> – ou suivie d'**un verbe à l'infinitif :**
>
> une machine à _____     – une histoire pour _____
>
> • Le complément du nom **fait partie du groupe nominal.**

**1** J'écris le nom des cartes.

roi de _____     _____     _____     _____

**2** J'encadre les groupes nominaux qui contiennent un complément du nom.
J'entoure la préposition.

C'est le jour du procès. Avec sa lourde couronne sur la tête, le roi est majestueux,

mais il n'a pas l'air très heureux. Ce n'est pas un procès pour rire. La Reine veut faire

couper la tête du Valet. Alice est assise près du banc des jurés. Le Lapin Blanc souffle

dans sa trompette en or et il crie le nom d'Alice.

**3** Je complète avec deux compléments du nom différents.

le conducteur _____     le conducteur _____

le chien _____     le chien _____

un pont _____     un pont _____

un gâteau _____     un gâteau _____

# L'imparfait

● **Conjuguer à** l'imparfait, c'est facile.
Les terminaisons sont les mêmes pour tous les verbes.

| | singulier | | | pluriel | |
|---|---|---|---|---|---|
| je, j' | tu | il, elle | nous | vous | ils, elles |
| -ais | -ais | -ait | -ions | -iez | -aient |

**1** Je conjugue à l'imparfait.

| être | avoir | faire | aller |
|---|---|---|---|
| j'étais | j'avais | je faisais | j'allais |
| tu _____ | tu _____ | tu _____ | tu _____ |
| il, elle _____ | il, elle _____ | il, elle _____ | il, elle _____ |
| nous _____ | nous _____ | nous _____ | nous _____ |
| vous _____ | vous _____ | vous _____ | vous _____ |
| ils, elles _____ | ils, elles _____ | ils, elles _____ | ils, elles _____ |

**2** J'écris un pronom sujet qui convient.

L'ogre était vieux. _____ dormait toute la journée. _____ avancions sans faire de bruit. _____ marchais sur la pointe des pieds. _____ retenais ton souffle.

## • Mots mêlés •

● Conjugue les verbes.
Retrouve-les dans la grille. Entoure-les.

| D | E | V | I | N | A | I | S | M | V |
|---|---|---|---|---|---|---|---|---|---|
| E | R | P | A | R | L | A | I | S | O |
| P | R | E | N | A | I | T | V | E | U |
| T | R | O | U | V | I | E | Z | I | L |
| P | R | E | P | A | R | A | I | S | A |
| S | A | V | A | I | E | N | T | L | I |
| L | P | O | U | V | I | E | Z | E | E |
| U | S | D | I | S | I | O | N | S | N |
| O | B | E | I | S | S | A | I | T | T |
| E | P | A | S | S | I | O | N | S | S |

parler ⟶ tu _____

passer ⟶ nous _____

préparer ⟶ je _____

trouver ⟶ vous _____

prendre ⟶ elle _____

deviner ⟶ tu _____

pouvoir ⟶ vous _____

dire ⟶ nous _____     vouloir ⟶ elles _____

savoir ⟶ ils _____     obéir ⟶ il _____

● Avec les lettres qui restent, complète la phrase.

Les aventures d'Alice sont _____.

# L'étonnant voyage du papillon monarque
## Dossier de documentation

### Document 1

**Le papillon monarque**

Au Québec, il est un de nos plus grands papillons. Ses ailes ont de 90 à 105 mm d'envergure.
Ses ailes sont de couleur orange traversée par des nervures noires de l'avant à l'arrière.
Les extrémités de ses ailes ont une large bordure noire et une double rangée de points blancs.
Le monarque est un papillon migrateur, car il cherche la chaleur, c'est pourquoi chaque année
des millions de ces papillons font un voyage d'au moins 4 000 km vers les pays chauds.
La femelle pond de 30 à 50 œufs. Après 4 à 12 jours une petite chenille en sort et se nourrit
de la plante. Après avoir changé de peau 5 fois, la chenille s'accroche à la plante et s'enferme
dans un cocon pendant douze autres jours. Finalement, elle en ressortira sous la forme
du merveilleux papillon que nous connaissons.
La durée de vie d'un monarque est d'environ 9 mois alors que celle de la majorité
des papillons est d'environ 24 jours.

www.bestioles.ca/insectes/monarques.html

### Document 2

À la fin de l'automne, le monarque quitte le Canada, traverse les États-Unis
et se rend dans les montagnes boisées du Mexique. La plupart des papillons
se retrouvent alors dans la Réserve des papillons monarques.
Ils envahissent les forêts et s'agglutinent sur les arbres. On ne voit plus que
le reflet doré des milliers de papillons qui y ont élu domicile pour s'y reposer.
Ils hivernent jusqu'au printemps, moment où ils reprennent la route du Nord.
Lors de leur voyage, les monarques se nourrissent d'une plante nommée *asclépiade*,
qui contient un poison vénéneux, ce qui les protège des prédateurs.
C'est d'ailleurs dans cette plante que les œufs sont déposés.

www.wwf.ca/fr/conservation/especes/le_monarque

### Document 3

La couleur orange et noir du monarque sert à avertir
les prédateurs que ce papillon n'est pas comestible !
Sa chenille se nourrit en effet d'asclépiade, une plante toxique.
Une fois adulte, le monarque est chargé
de ces toxines qui déclencheront des vomissements
chez un oiseau imprudent.

www.sciencesetavenir.fr

L'asclépiade

## Document 4

La réserve de biosphère du papillon monarque est située dans une chaine de montagnes
à environ 100 km au nord-ouest de Mexico. Sur ces 56 259 hectares, chaque automne,
des millions, voire un milliard, de papillons provenant des vastes espaces nord-américains
s'amoncèlent sur de petites parcelles forestières de la réserve, colorant les arbres en orange et
faisant ployer les branches sous leur poids collectif. Au printemps, ces papillons reprennent
une migration de 8 mois, vers l'Est du Canada avant de revenir au Mexique.
...
Les millions de papillons monarques qui reviennent chaque année sur le site font ployer
les branches d'arbres sous leur poids, obscurcissent le ciel lorsqu'ils s'envolent
et leurs battements d'ailes produisent un son évoquant une pluie légère.
Observer ce phénomène unique est une expérience exceptionnelle de la nature.

**biosphère** n.f. Ensemble des êtres vivants et de leur milieu.

http://whc.unesco.org/fr/list/1290

## Document 5

Malgré l'existence de ce sanctuaire, les monarques sont en danger.
D'une part, ils aiment la tranquillité et c'est pour cette raison qu'il est interdit de s'approcher
à moins de 100 m des arbres où ils sont regroupés.
D'autre part, la déforestation, la coupe de la forêt d'oyamels ne leur permet pas de retrouver
leur habitat naturel, et leur population a déjà diminué. Une lutte est donc engagée au Mexique
afin de replanter ces sapins et lutter contre la déforestation, mais elle semble bien inégale
entre l'intérêt de préserver tout un écosystème et l'intérêt économique immédiat que
représente la vente du bois.

**sanctuaire** n.m. Endroit protégé, que l'on doit respecter comme un lieu sacré.

www.monmexique.com/monarques.htm

## Document 6

*Située à plus de trois mille mètres d'altitude, la réserve d'El Rosario est la plus connue.*
*Suivons les visiteurs.*

La première partie de la montée est bordée de marches et de panneaux illustrés.
On traverse ensuite un plateau où les plantes grasses se mêlent aux fleurs sauvages
et aux senteurs de conifères.
Puis, si l'on regarde au sol, quelques touches de couleur apparaissent :
des fragments d'ailes de papillons mènent les visiteurs au centre de la réserve
comme les cailloux blancs du Petit Poucet. Encore un effort et il faut faire le silence.
Surtout ne pas déranger les papillons. Le moindre son peut les mettre en danger.

www.lemonde.fr

*Le musée d'histoire naturelle prépare une exposition sur les papillons.*
*Il lance un concours entre les élèves de CE2 pour réaliser la fiche de présentation*
*du papillon monarque. Cette fiche permettra au lecteur de bien connaitre le papillon,*
*ses conditions de vie et son étonnant voyage.*

**TÂCHE : Réalise cette fiche à l'aide de ta documentation.**

**1** **Présente la carte d'identité du papillon. Colorie-le.** —————————

taille ————————————————————————————

couleur ————————————————————————————

nourriture ————————————————————————————

reproduction ————————————————————————————

durée de vie ————————————————————————————

prédateurs ————————————————————————————

défense contre les prédateurs

**2** **Situe le Canada, les États-Unis et le Mexique sur la carte.** —————————
**Trace le chemin de la migration du papillon monarque.**
**Indique les moments où la migration commence.**

**3** Ces photos illustreront la fiche de présentation.
Recopie un extrait des documents pour les commenter.

Rassemblement de Grands monarques, Mexique

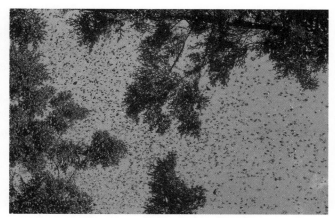

Vol migratoire hivernal de Grands monarques, Mexique

_____

_____

_____

_____

**4** Décris la région du Mexique où les monarques vont hiverner.

_____

_____

_____

_____

**5** Présente les dangers qui menacent les monarques.

_____

_____

_____

**6** Donne un conseil aux touristes qui vont visiter la réserve au Mexique.

_____

_____

# 7 La santé

- Quel est le but de cette affiche ? Quelles informations y trouves-tu ?
- Quels aliments vois-tu dans chaque case ?
  Cite d'autres aliments de la même catégorie.
- Qu'est-ce qui, pour toi, est le plus facile ? le plus difficile ?

## Les mots de la santé

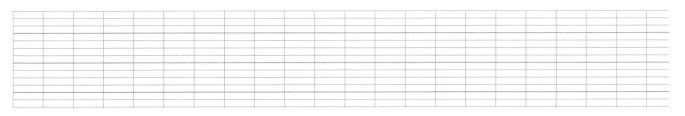

# J'explique : bonnes et mauvaises habitudes

Lance le dé et avance ton pion.

Si tu arrives sur une case « bonne habitude », explique et monte à l'échelle.

Si tu arrives sur une case « mauvaise habitude », explique et descends le toboggan.

Pour être en bonne santé, il faut… Il ne faut pas…

On doit… On ne doit pas…

C'est bon pour la santé de… Ce n'est pas bon pour la santé de…

# 7 J'écoute et je comprends

*Pendant la nuit, tu fais plusieurs cycles de sommeil.*
*Dans chaque cycle, il y a cinq moments. On les représente par un petit train composé*
*d'une locomotive et de cinq wagons, toujours placés dans le même ordre.*
*C'est le « train du sommeil ».*

**Première écoute**

**1** Je complète le nom des wagons. ───────────────

endormissement | sommeil | sommeil | sommeil | sommeil | sommeil paradoxal

**2** Quels signaux indiquent que l'on a sommeil ? ───────────
Je coche ce que j'ai compris.

☐ On n'a plus faim.  ☐ On bâille.  ☐ On a envie de bouger.  ☐ On a froid.

☐ On a les yeux qui picotent.  ☐ On n'entend plus les conversations.  ☐ On s'étire.

**Seconde écoute**

**3** Combien de temps dure un cycle de sommeil ? ───────────

☐ 15 minutes  ☐ 45 minutes  ☐ 1 heure 45 minutes  ☐ 2 heures

**4** Combien de fois rêves-tu dans la nuit ? ───────────

───────────────────────────────────

**5** Je coche ce que j'ai compris. ───────────

Je n'ai pas assez dormi la nuit dernière. Aujourd'hui :

☐ Je me lève facilement dès qu'on me réveille.

☐ Mes camarades m'énervent.

☐ Je suis en forme pour les activités sportives.

☐ Je fais des erreurs en comptant mes opérations et pourtant je connais mes tables.

☐ Je comprends bien les consignes.

☐ Je ne vois pas le lampadaire sur le trottoir et je me fais une bosse.

**6** J'explique pourquoi bien dormir permet de grandir. ───────────

# La santé à très petits pas

**1** Que dois-tu faire pour prendre soin de toi ? ———————
Utilise les quatre pages de la lecture.

**2** Explique ce qu'est une maladie contagieuse. ———————
Tu peux utiliser ton dictionnaire.

Comment les microbes se transmettent-ils ?

Que dois-tu faire pour protéger les autres quand tu es malade ?

**3** Qu'est-ce qu'un symptôme ? ———————
Tu peux compléter l'information de la lecture par l'article du dictionnaire.

Quels sont les symptômes du rhume ?

Quels sont les symptômes de l'otite ?

# 7 Belle santé

Belle santé,

Qui me reviens après m'avoir quitté,

Voici mon front, mes bras, mes épaules, mon torse

Qui tressaillent une fois encor

À te sentir rentrer et revivre en mon corps

Avec ta force.

Je me détends et je me plais

Au moindre geste que je fais.

[...]

Sous mon front redressé et mes cheveux vermeils

Mes deux yeux sont en fête et boivent le soleil.

Le vent m'est un ami qui chante et m'accompagne

En ma course rythmée à travers la campagne.

L'air tonique et puissant emplit mon torse creux.

Mes nerfs semblent refaits, mes muscles sont heureux

Et ma bouche joyeuse et mes mains familières

Voudraient saisir l'espace et baiser la lumière.

Émile VERHAEREN, in *Les Flammes hautes*, © Mercure de France, 1917.

1. Qu'est-il arrivé au poète ? Que ressent-il maintenant ?

2. Pourquoi le poète énumère-t-il les différentes parties de son corps ?

3. La santé est le fait d'être bien dans son corps et bien dans sa tête.
   Quels mots du poème le font comprendre ?

4. Le poème peut t'aider à imaginer le poète malade. Essaie.
   Comment étaient son corps, ses gestes, ses yeux… ?

• **vermeil** : rouge éclatant. Le poète Émile Verhaeren avait les cheveux roux.

# Articuler – Faire les liaisons
# Contrôler la vitesse et l'expression

**1** Je lis ces phrases de plus en plus vite.

1. Un grand dragon gros et gras grelote dans sa grotte.

2. Pour s'amuser Suzon cousait la chemise de sa cousine.

3. Étends-toi à tâtons sur ton dodo tiède et tends trente fois tes dix doigts tout droits.

**2** Je me prépare à faire la liaison avec le son /n/ puis je lis à haute voix.

 Je fais la liaison entre deux mots avec le son /n/ :
quand le premier se termine par la lettre *n*
et quand le second commence par une voyelle.

1. Les rêves permettent d'accepter ce que l'on a vécu dans la journée.

2. Il faut faire du sport. Le corps en a besoin pour se muscler.

3. Pour vérifier son idée, le médecin demande de faire un examen complémentaire.

**3** Je trace toutes les liaisons, puis je lis à haute voix.

Quand on a une alimentation équilibrée, le corps fonctionne sans effort.

Il trouve tout ce dont il a besoin en nutriments mais aussi en vitamines.

Il est mieux armé pour lutter contre les maladies.

**4** Les liaisons sont marquées. J'entoure la ponctuation.
Puis je lis ce texte plusieurs fois, de plus en plus vite.
Je me sers de la vitesse pour faire ressentir la peur de différentes façons.

Il remonte la rue derrière moi. Avec sa veste à carreaux et sa figure ronde

et pâle, il a l'air de quelqu'un qui s'est déguisé pour cacher sa vraie nature.

Un jour, dans un film qui passait à la télé, j'ai vu un type

qui s'habillait en clown pour attirer les enfants avec ses pitreries

et son harmonica. Ensuite, il les kidnappait. J'en ai fait des cauchemars

durant plusieurs nuits.

Celui-ci n'a pas d'harmonica et il n'est pas vraiment costumé

en clown. Mais je préférerais qu'il cesse de me suivre. Je m'arrête devant

la vitrine du coiffeur, il s'arrête devant l'auto-école.

Je repars, il repart. Qu'est-ce qu'il me veut ? Il n'essaie pas de me rattraper

ou de me parler, il se contente de me suivre.

Catherine Missonnier, *L'homme à la veste à carreaux*, © Rageot 2000.

# 7 La phrase : le groupe sujet

- **Dans la phrase, le groupe sujet c'est le sujet du verbe** avec toutes ses expansions quand il en a : adjectifs et compléments du nom.
  Le groupe sujet répond à la question : *De qui parle-t-on ?* ou *De quoi parle-t-on ?*

  Une infection donne de la température.
  Une grave infection donne de la température.
  Une grave infection des oreilles donne de la température.

- **L'accord du verbe avec son sujet** ne change pas lorsqu'on étend le sujet du verbe.

**1** Je souligne le verbe en noir, le sujet en bleu. J'entoure le groupe sujet.

Une alimentation équilibrée garde le corps en bonne santé.

L'activité physique développe les muscles.

Les bonnes nuits de sommeil préparent les bonnes journées de travail et de jeux.

**2** Quel est le groupe sujet qui convient ? Je complète.

*Les surveillants de l'école – Le surveillant de l'école*

_____ empêchent les jeux violents dans la cour.

*L'examen médical des élèves – Les examens médicaux des élèves*

_____ permet de vérifier leur bonne santé.

**3** Je conjugue le verbe à l'imparfait.

*(être)* Les feux tricolores du carrefour _____ en panne.

*(débuter)* Mon émission préférée sur les animaux _____ à 18 heures.

*(servir)* Les longues étagères au fond de la classe _____ à poser les livres et les cahiers.

**4** Je mets le sujet du verbe au singulier et je récris la phrase.

Des longs moments devant les écrans fatiguent les yeux.

# Le passé composé

- Un verbe conjugué au passé composé est **composé de deux parties** :
le verbe *être* ou le verbe *avoir* conjugué au présent + le participe passé du verbe.
- Quand le verbe *être* ou le verbe *avoir* aide à conjuguer un verbe au **passé composé**, on l'appelle un auxiliaire.
- Quand l'infinitif se termine par *er*, j'entends toujours /e/ à la fin du participe passé.

*trouver* : j'_____ ; ils _____

- À la fin du participe passé des autres verbes, je n'entends jamais /e/.

*réfléchir* : tu _____ ; nous _____

---

**1** Je souligne les verbes conjugués au passé composé. J'écris leur infinitif.

Hier, j'étais malade. Le médecin est venu.

Il a diagnostiqué une grippe et il a rédigé

une ordonnance. Depuis, je prends des médicaments.

Maman a téléphoné à l'école. Elle a expliqué

mon absence. Aujourd'hui, je vais mieux. Ce matin,

j'ai commencé à lire un nouveau roman.

---

**2** J'écris un pronom sujet qui convient. J'écris l'infinitif du verbe.

_____ avons aimé (_____)      _____ as compris (_____)

_____ a écrit (_____)      _____ ont regardé (_____)

_____ ai perdu (_____)      _____ avez pensé (_____)

---

**3** J'écris l'auxiliaire. J'écris l'infinitif du verbe.

j'_____ appris (_____)      vous _____ vu (_____)

il _____ arrivé (_____)      elles _____ tenu (_____)

tu _____ lu (_____)      nous _____ porté (_____)

---

**4** Je complète les phases : j'écris l'auxiliaire du verbe.

Un accident _____ arrivé au carrefour : une voiture _____ renversé un cycliste.

Elle _____ partie à toute vitesse, mais j'_____ noté son numéro.

Les pompiers _____ venus. Ils _____ placé le blessé sur un brancard.

# 8 À l'hôpital

- Quels sont les différents services d'un hôpital ?
  Qui sont les personnes qui y travaillent ?
  Dis ce que tu vois et ce que tu sais.

### Les mots de l'hôpital

| | | | | | | |
|---|---|---|---|---|---|---|
| | | | | | | |
| | | | | | | |
| | | | | | | |
| | | | | | | |
| | | | | | | |
| | | | | | | |
| | | | | | | |

# J'ai mal…

À deux, jouez les scènes :
– Le médecin fait son enquête, il cherche les symptômes pour établir son diagnostic.
– Le malade répond aux questions, dit ce qu'il ressent.
– Le médecin donne un traitement et des conseils.

- En classe, tu ne te sentais pas bien.
  Tu vas à l'infirmerie.

- Ce monsieur s'est évanoui dans la rue.
  Les passants ont appelé les pompiers.

- Une maman amène son bébé chez
  le médecin.

- Tu es tombée. Tu arrives aux urgences
  à l'hôpital.

Qu'est-ce que tu as (il a, elle a, vous avez…) ?
Qu'est-ce qui t'arrive ?
Où as-tu mal ?
Est-ce que tu as de la fièvre ? envie de vomir ? …
Comment cela est-il arrivé ?

tousser – être enrhumé – être fatigué
avoir de la fièvre, des boutons, un vertige…
avoir mal à la tête, au ventre, aux oreilles, à la gorge…

examiner – prendre la température – écouter le cœur, la respiration

un médicament, du sirop, un cachet…
un pansement, un bandage, un plâtre, une piqure…

# 8 J'écoute et je comprends

J'écoute le texte *À l'école dans ma chambre*. Puis je réponds aux questions.

**Première écoute**

**1** Je coche ce que j'ai compris.

a. Zoé ne quitte pas sa chambre parce que

☐ ses parents lui interdisent de sortir.

☐ elle doit rester allongée pour guérir.

☐ il y a la télévision dans sa chambre.

b. Zoé a peur de redoubler le CE2

☐ parce qu'elle n'aime pas beaucoup les mathématiques.

☐ parce qu'elle a manqué l'école longtemps à cause d'une maladie grave.

☐ parce qu'elle n'aime pas travailler dans sa chambre.

**Seconde écoute**

**2** J'entoure ce que j'ai compris.

a. Zoé n'est pas allée à l'école pendant   *2 semaines – 4 semaines – 6 semaines.*

b. À l'hôpital, les enfants malades peuvent suivre des cours.   OUI – NON

**3** Quels jours Zoé travaillera-t-elle ? J'entoure les jours.
Avec qui travaillera-t-elle ? Je relie les jours aux personnes qui la feront travailler.

lundi •

mardi •

mercredi •                    • Agathe

jeudi •                    • Madame Allais

vendredi •

samedi •

dimanche •

**4** Quel jour Agathe viendra-t-elle pour la première fois ?

**5** Qu'est-ce qui donne du courage à Zoé ? J'écris ce que je pense.

manuel p. 114-115, 118-119

# À l'hôpital

**1** Combien y a-t-il de scènes dans cette pièce de théâtre ?
Pour chaque scène, écris le nom des personnages.

**2** Tu es le metteur en scène.
Choisis une scène. Place les personnages aux différents moments de la scène.
Tu peux dessiner, ou simplement écrire les initiales des personnages :
D pour docteur, I pour infirmière, etc.

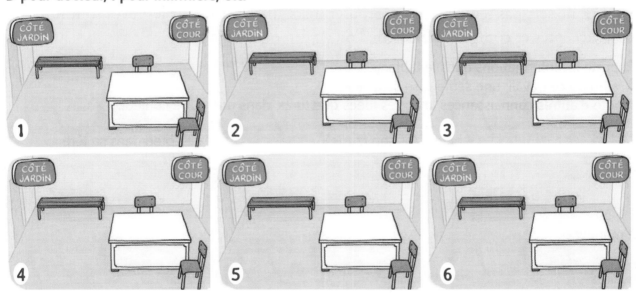

**3** Parmi les patients, qui n'a pas fait attention ? Qui a subi un simple accident ?
Et pour le docteur, à la fin, est-ce un manque d'attention ou un accident ?

**4** Que penses-tu de ce que disent les patients tous ensemble à la fin ?

# 8 Catégoriser

**Relis ce texte.**

La santé est le fait d'être bien dans son corps et bien dans sa tête. Pour être en bonne santé, il faut d'abord prendre soin de soi.

**Bien manger**

Quand on a une alimentation équilibrée, le corps fonctionne sans effort. Il trouve tout ce dont il a besoin en nutriments mais aussi en vitamines. Il est mieux armé pour lutter contre les maladies.

**Avoir une activité physique**

Le corps en a besoin pour se muscler, s'oxygéner et dépenser l'énergie que l'on consomme. Faire du sport permet aussi de se détendre, de mieux dormir et d'augmenter son bien-être.

**Dormir**

Les enfants ont besoin de beaucoup plus de sommeil que les adultes. Pour passer de bonnes nuits, il faut respecter le rythme naturel du corps : se coucher et se lever à heures régulières.

La nuit ne sert pas seulement à se reposer mais aussi à rêver. Et les rêves sont importants pour accepter et comprendre ce que l'on a vécu dans la journée.

**Reporte les informations dans le tableau.**
**À la fin de ce travail, une seule case sera vide.**
**Ajoute d'autres connaissances, d'autres idées que tu as, dans une autre couleur.**

|  | « bien dans son corps » | « bien dans sa tête » |
|---|---|---|
| bien manger |  |  |
| avoir une activité physique |  |  |
| dormir |  |  |

# Encore un malade !

*La pièce a du succès. Le public a bien ri. Il vous rappelle.*
*Il aimerait que le spectacle continue.*
**Heureusement, vous avez préparé une nouvelle scène ! Écris-la.**

**Relis les premières phrases du docteur au début de chaque scène.**
Comment va-t-il recevoir le patient cette fois-ci ?

LE DOCTEUR —

De quoi souffre le patient ?

L'INFIRMIÈRE —

**Continue.**
– Donne un nom au patient.
– N'oublie pas de reprendre les phrases que le docteur et l'infirmière disent tout le temps.

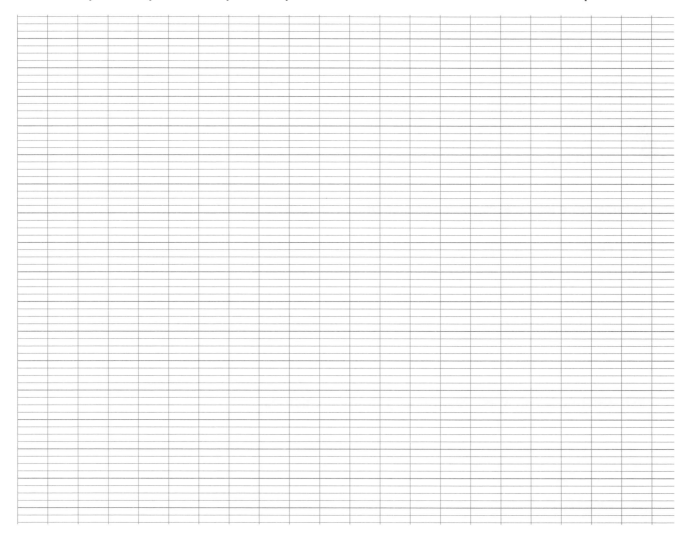

# 8 La phrase affirmative et la phrase négative

- La phrase a deux formes :
  - la forme affirmative. _____
  - la forme négative. _____

La phrase affirmative et la phrase négative disent le contraire l'une de l'autre.

- **Pour transformer une phrase affirmative en phrase négative,**
  j'encadre le verbe avec deux mots de négation :

  **ne ... pas,   ne ... plus,   ne ... jamais,   ne ... rien**

Luc raconte son séjour à l'hôpital.

Luc _____

Luc _____

Luc _____

Luc _____

- **Pour transformer une phrase négative en phrase affirmative, j'enlève les mots de négation.**

Je ne lave pas mes mains avant le repas. _____

Quand je parle, j'oublie souvent de dire **ne** devant le verbe.
Je ne dois pas oublier de l'écrire.
– Devant une voyelle, **ne** devient **n'**.
Je **n'**ose **pas** plonger, pourtant je sais nager.

**1** Je transforme les phrases affirmatives en phrases négatives. _____

a. Mon grand-père entend très bien.

b. J'accepte de suivre des personnes inconnues.

**2** Je transforme les phrases négatives en phrases affirmatives. _____

a. On n'aime pas aller chez le dentiste.

b. Les études de médecine ne sont pas difficiles.

# Le passé composé des verbes
## *être, avoir, aller, venir*

• **Au passé composé**, les verbes *être*, *avoir*, *aller*, *venir* se conjuguent comme les autres verbes.

*être* : j'ai _____ ; elle a _____ ; nous avons _____ ; ils ont _____

*avoir* : tu as _____ ; il a _____ ; vous avez _____ ; elles ont _____

• **Aller** et **venir** se conjuguent avec l'auxiliaire *être*.
Il y a deux conjugaisons, une pour le masculin, une pour le féminin.

*venir* : il est _____ ; elle est _____ ; ils sont _____ ; elles sont _____

**1** Je conjugue au passé composé.

LE DOCTEUR – *(avoir)* Qu'est-ce qu'elle _____ à la main ?

L'INFIRMIÈRE – *(poser)* Elle _____ sa main sur une plaque électrique.

LE DOCTEUR – *(venir)* Ah, la cuisine ! Et eux deux, ils _____ pourquoi ?

L'INFIRMIÈRE – *(aller)* Ils _____ sous la pluie, Docteur.

*(être)* Ils _____ surpris par l'orage, alors

*(courir)* ils _____ et *(glisser)* ils _____ .

**2** Je conjugue les verbes au passé composé.
Puis je mets le sujet au pluriel, et je conjugue à nouveau au passé composé.

1. La marée est forte près du port.

2. Tu as de la chance !

3. Un papillon bleu vient sur mes tulipes rouges.

4. La jeune escrimeuse va à l'entrainement.

# 9 Offrir l'hospitalité

*Cette statue offre l'hospitalité aux voyageurs à la sortie de la gare de Ouagadougou, au Burkina Faso.*

- Décris la statue. Comment montre-t-elle l'hospitalité ? _____
- Que penses-tu du choix de son emplacement ?
- Tous les voyageurs, de quelque pays qu'ils viennent, comprennent le sens de cette statue. À ton avis, pourquoi ?
- Pour toi, quels sont les gestes, les mots de l'hospitalité ?

Les mots de l'hospitalité

# J'aime, je n'aime pas...

Lance le dé une première fois. Il te donne la ligne du tableau.

Lance-le une seconde fois. Il te donne la colonne.

Pose-toi sur la case et parle de tes gouts :

Tu aimes..., tu n'aimes pas..., tu détestes...

Utilise les mots du bas de la page.

| | ⚀ | ⚁ | ⚂ | ⚃ | ⚄ | ⚅ |
|---|---|---|---|---|---|---|
| ⚀ | sports | gâteaux | aliments | films | vacances | animaux |
| ⚁ | fruits | livres | fleurs | jeux | héros | saisons |
| ⚂ | télévision | couleurs | jours de la semaine | loisirs | vêtements | musique |
| ⚃ | saisons | héros | jeux | fleurs | livres | fruits |
| ⚄ | films | sports | animaux | aliments | vacances | héros |
| ⚅ | musique | saisons | livres | fleurs | jeux | gâteaux |

J'aime... J'aime bien... J'aime beaucoup... J'adore... Je préfère...
Ça me plait... Ça m'intéresse... Ça m'intéresse beaucoup...
C'est bien... C'est très bien... C'est super... C'est formidable...

Je n'aime pas... Je n'aime pas du tout... Je déteste...
J'ai horreur de... Je ne supporte pas...
Ça ne me plait pas... Ça ne me plait pas du tout... Ça ne m'intéresse pas...
Je trouve ça affreux..., horrible..., désagréable..., pénible...

# 9 J'écoute et je comprends

**1** Imparfait ou passé composé ? J'écoute les verbes et je coche. ——————————

|  | 1 | 2 | 3 | 4 | 5 | 6 | 7 | 8 | 9 | 10 |
|---|---|---|---|---|---|---|---|---|---|---|
| imparfait |  |  |  |  |  |  |  |  |  |  |
| passé composé |  |  |  |  |  |  |  |  |  |  |

**2** Imparfait ou passé composé ? Je souligne la phrase que j'entends. ——————————

1. Le vagabond traversait la forêt.

   Le vagabond a traversé la forêt.

2. Il frappait à la porte de la chaumière.

   Il a frappé à la porte de la chaumière.

3. Il demandait un lit pour la nuit.

   Il a demandé un lit pour la nuit.

4. La maitresse de maison a accepté de le laisser entrer.

   La maitresse de maison acceptait de le laisser entrer.

5. Ce vagabond était un joyeux compagnon.

   Ce vagabond a été un joyeux compagnon.

**3** Je lis puis j'écoute. J'entoure les mots qui ont disparu. ——————————

La soupe au caillou est une vraie recette traditionnelle française de la soupe paysanne.
Cette façon de cuire la soupe est encore utilisée aujourd'hui dans beaucoup de régions.
On prépare une bonne soupe de légumes et on met dans la marmite un caillou propre,
plat d'un côté, bombé de l'autre. On laisse cuire pendant deux heures au moins, à feu
très doux. Le caillou se met à bouger doucement avec le mouvement de l'eau qui bout.
Il écrase peu à peu les légumes, au fur et à mesure qu'ils cuisent, comme un pilon.
Plus besoin d'écraser la soupe ou de la mixer avant de la servir. On peut passer
immédiatement à table !

**4** J'écoute puis je réponds aux questions. ——————————

Qu'est-ce que Jeanne a oublié de mettre ?

Où va-t-elle avec sa maman ?

# La soupe au clou

**1** Écris la quatrième de couverture de ce conte. ————————————————
Présente la situation, les personnages.
Termine par une phrase qui donnera envie de lire le conte.

**2** Au début du conte, le vagabond dit : *C'est moi qui partagerai avec vous ce que j'ai.* ————
À la fin du conte, a-t-il tenu sa parole ? Justifie ta réponse.

**3** *Et ainsi, ils avaient fait ce que les êtres humains font depuis la nuit des temps,* ————————
*partager un repas et se raconter de belles histoires.*
Quelles belles histoires les personnages de ce conte se sont-ils racontées ?

**4** Choisis un mot du conte que tu as aimé. Explique pourquoi tu l'as aimé. ————————

Je choisis :

# 9 Vrai lieu

Qu'une place soit faite à celui qui approche,
Personnage ayant froid et privé de maison,

Personnage tenté par le bruit d'une lampe,
Par le seuil éclairé d'une seule maison.

Et s'il reste recru d'angoisse et de fatigue,
Qu'on redise pour lui les mots de guérison.

Que faut-il à ce cœur qui n'était que silence,
Sinon des mots qui soient le signe et l'oraison,

Et comme un peu de feu soudain la nuit,
Et la table entrevue d'une pauvre maison ?

Yves Bonnefoy, *Du Mouvement
et de l'immobilité de Douve*,
© Gallimard, www.gallimard.fr,
Mercure de France, 1967.

**1.** Dans ce poème, un mot important est répété trois fois. Où est-il situé ?
Pourquoi le poète insiste-t-il sur ce mot ?

**2.** Continue le tableau.

| les mots de la souffrance du vagabond | les mots de l'hospitalité |
|---|---|
| *froid* | *un peu de feu* |
| | |
| | |
| | |
| | |
| | |
| | |
| | |
| | |

**3.** Explique le titre : pour le poète, qu'est-ce qu'un « vrai lieu » ?

- **recru :** très fatigué, épuisé.
- **l'oraison :** la prière, la méditation.

# Articuler – Contrôler l'expression

**1** Je lis ces phrases de plus en plus vite.

1. Patatras ! Le petit pot de thé est tombé de la table sur le tapis. Le tapis est en piteux état. Le petit pot de thé itou.

2. La chaussette a du chagrin de sécher toute seule sous le chaud soleil sans sa sœur. Elle chuchote cette chanson triste : ne séparez pas les chaussettes !

**2** Lis le texte une première fois silencieusement.

a. Qui sont les personnages ? Où sont-ils ? Que font-ils ?

b. Souligne dans le texte les mots qui indiquent comment lire.

c. À plusieurs (les personnages plus le narrateur) préparez la lecture, puis présentez votre travail à la classe.

– Rentrons vite. La nuit arrive et il commence à faire froid, dit Gaëlle.

– Nous n'arriverons jamais à la maison, pleurniche le petit Thomas.
Et puis d'abord, j'ai faim et j'ai mal aux pieds. Et je ne viendrai plus jamais
me promener avec vous...

– J'ai p..p...ppeu...ppeur, bégaye Mandarine, sa sœur jumelle. Il y a... y a...
y a... une dr... dro... drôle de... de... lumière là... là... là-bas.

– Ce sont surement des naufrageurs, explique très sérieusement Nicolas. Vous savez bien,
les petits, ces bandits qui allument des feux sur les rochers pour faire croire qu'il y a un port.
Les navires perdus dans la tempête s'approchent et CRAAAC ! ils vont se briser
sur les rochers.

– Tu crois qu'ils nous ont vus ? chuchote Thomas en tremblant.

– Eh ! Oh ! Les bandits ! C'est nous ! Vous ne nous aurez pas, crie Nicolas.

– Ne t'amuse pas à faire peur aux petits, tu vois bien qu'ils sont fatigués, gronde Gaëlle.
Allez, les jumeaux, encore un peu de courage, dit-elle doucement. Nous serons
bientôt arrivés.

– Un kilomètre à pied, ça use, ça use.... chante Nicolas à tue-tête.

**3** Lis les onomatopées. Fais entendre l'émotion ou le bruit qu'elles représentent.

# 9 Le groupe verbal : le verbe et ses compléments

On peut préciser le verbe avec des groupes nominaux.
- **Le groupe nominal qui précise le verbe s'appelle** le complément du verbe. Il suit le verbe.
- **Dans la phrase, le verbe et ses compléments forment** le groupe verbal.

Je sais déjà que le groupe sujet répond à la question *De qui* ou *de quoi parle-t-on ?*

Le groupe verbal répond à la question *Qu'est-ce qu'on en dit ?*

Je souligne le groupe sujet, j'entoure le groupe verbal.

La paille recouvre les toits des chaumières.

**1** J'entoure le verbe. Je souligne le groupe verbal.

a. Le chat observe les oiseaux posés sur la haute branche.

b. La mésange à longue queue bâtit un nid très bien caché.

c. Un vol d'oies sauvages traverse le beau ciel bleu.

d. Les canards de la mare cancanent.

e. Le toit de chaume de la vieille maison abrite quelques oiseaux.

**2** J'entoure le verbe, je souligne ses deux compléments de deux couleurs différentes.

a. Les chiens font la chasse au lièvre.

b. J'ai offert un cadeau à ma sœur.

c. L'infirmière donne des soins au malade.

d. La maitresse de maison offre l'hospitalité au vagabond.

e. Pierre parle de ses vacances avec ses amis.

### • jeu de chamboule-tout •

Jette le dé deux fois. Chaque lancer te donne le numéro d'une phrase.
Si tu fais un double, rejoue.
Échange les groupes verbaux des phrases que tu as tirées.

1. Le gros marchand de soupe faisait bouillir son clou.

2. Un jeune pizzaïolo préparait des plats chauds.

3. Un très vieux commerçant parlait en zozotant.

4. Un pauvre boulanger dévorait ses croissants.

5. La petite fleuriste vendait cinq coquelicots.

6. Un fameux bijoutier polissait ses cailloux.

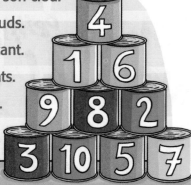

# L'imparfait et le passé composé des verbes
## *faire, dire, pouvoir, vouloir, prendre*

**1** Je complète les conjugaisons, à l'imparfait puis au passé composé. ———————

|  | imparfait | | passé composé | |
|---|---|---|---|---|
| **faire** | je faisais | nous _____ | j'ai fait | nous _____ |
|  | tu _____ | vous faisiez | tu _____ | vous avez fait |
|  | elle faisait | ils _____ | elle a fait | ils _____ |
| **dire** | je _____ | nous _____ | j' _____ | nous _____ |
|  | tu disais | vous _____ | tu as dit | vous _____ |
|  | elle _____ | ils disaient | elle _____ | ils ont dit |
| **prendre** | je _____ | nous prenions | j' _____ | nous avons pris |
|  | tu prenais | vous _____ | tu _____ | vous _____ |
|  | elle _____ | ils _____ | elle _____ | ils _____ |
| **vouloir** | je voulais | nous _____ | j'ai voulu | nous _____ |
|  | tu _____ | vous vouliez | tu _____ | vous avez voulu |
|  | elle _____ | elles voulaient | elle _____ | ils ont voulu |
| **pouvoir** | je _____ | nous _____ | j' _____ | nous _____ |
|  | tu _____ | vous _____ | tu as pu | vous _____ |
|  | elle _____ | ils _____ | elle a pu | ils _____ |

**2** Je recopie le texte. ——————————————————————————————
Je conjugue la partie a. à l'imparfait, la partie b. au passé composé.

a. Il *(faire)* _____ beau, les vents *(être)* _____ favorables.

Les bateaux de la marine royale *(filer)* _____ à toute allure.

b. À un moment, le capitaine *(remarquer)* _____ deux taches noires au loin.

Il *(être)* _____ inquiet. Il *(prendre)* _____ sa longue-vue

et il *(aller)* _____ à l'avant du navire. Il *(pouvoir)* _____

observer deux grands voiliers. Et brusquement il *(crier)* _____ : Les pirates !

Tous les marins *(monter)* _____ sur le pont. Ils *(prendre)* _____

les ordres et ils *(commencer)* _____ à préparer la défense.

# 10 La solidarité

On a demandé à des enfants ce qu'ils pensent de la solidarité.

> Avec mes amis,
> on s'aide les uns et les autres.
> Quand on a un problème,
> c'est comme si on avait tous
> un problème et on essaye
> de le régler tous ensemble.

> La solidarité c'est pour
> donner confiance.
> Par exemple, s'il y a
> quelqu'un qui n'y arrive
> pas, il ne faut pas le lâcher,
> il faut lui dire : « Ça va ? »...

## LA SOLIDARITE
### c'est du solide !

Sergio SALMA

> On ne le décourage pas,
> tu y arriveras toujours.

> Moi ça m'évoque d'aider les
> autres pour qu'ils se sentent
> bien dans leur peau et pour
> qu'ils soient heureux.

La gazette des petits gourmands, n°33, janvier 2014 « La solidarité, paroles d'enfants », édité par Aide et Action.

Et pour toi, la solidarité, qu'est-ce que c'est ?

## Les mots de la solidarité

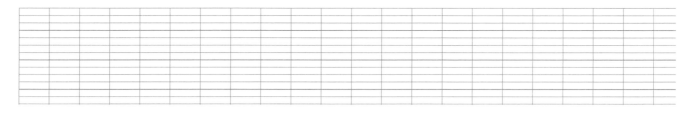

# Je regrette… Excuse-moi…

**1** À deux, jouez les scènes. —————————————————————

Tu arrives en retard à l'école.
Tu expliques ton retard au directeur.
Tu regrettes. Tu t'excuses, tu donnes
une excuse. Ou tu expliques
que ce n'est pas de ta faute.
Le directeur te répond.

Une camarade ou un camarade t'a prêté
un livre, un jeu, ou un autre objet.
Tu l'as perdu.
Tu regrettes. Tu t'excuses.
Elle (ou il) te répond.

Tu bouscules quelqu'un dans la rue.
Tu regrettes. Tu t'excuses.
La personne te répond.

Tu t'es mis en colère. Tu as mal parlé à un
(ou une) camarade ou tu lui as fait mal
dans la cour.
Tu regrettes. Tu t'excuses.

**2** Trouve une autre situation où tu dois t'excuser. Joue-la avec un camarade. ———————

| | |
|---|---|
| Je regrette. | Ne t'en fais pas. |
| J'aurais dû… | Je ne t'en veux pas |
| Je n'ai pas voulu… | Ce n'est pas de ta faute. |
| Pardon ! | Ce n'est pas grave. |
| Je te (vous) demande pardon. | Il n'y a pas de mal. |
| Je suis désolé (désolée). | N'en parlons plus. |
| C'est (ce n'est pas) de ma faute. | Tu es excusé. |
| Je ne le ferai plus. | Fais attention la prochaine fois. |
| Je ne recommencerai pas. | Ne recommence pas. |

# 10 J'écoute et je comprends

**1** Présent, imparfait ou passé composé ? Je coche ce que j'entends.

|  | 1 | 2 | 3 | 4 | 5 | 6 | 7 | 8 | 9 | 10 | 11 | 12 |
|---|---|---|---|---|---|---|---|---|---|---|---|---|
| présent |  |  |  |  |  |  |  |  |  |  |  |  |
| imparfait |  |  |  |  |  |  |  |  |  |  |  |  |
| passé composé |  |  |  |  |  |  |  |  |  |  |  |  |

**2** J'écoute le texte, puis je réponds aux questions.

**Première écoute**

Qui combat l'immense incendie de forêt ?
Je coche ce que j'ai compris.

☐ tous les animaux    ☐ le tatou et le colibri    ☐ le colibri    ☐ le tatou

**Seconde écoute**

a. J'entoure les mots-étiquettes qui vont bien avec ce texte.

RESPONSABILITÉ  —  BONHEUR  —  PROTECTION DE LA NATURE

HUMOUR  —  COURAGE  —  ARGENT  —  PATIENCE

b. Quel est le meilleur titre pour ce texte ? Je coche.

☐ L'incendie de forêt

☐ Le tatou agacé

☐ La part du colibri

☐ La légende des gouttes d'eau

c. Je discute : que nous apprend cette légende ?

**3** J'écoute le texte. J'entoure l'arbre du voyageur.

# Le grain de riz

**1** Au début de l'histoire, le jeune homme pense-t-il inviter des gens pour le repas du 31 décembre ? Justifie ta réponse.

**2** On a demandé à des élèves qui ont lu l'histoire :
Comment les voisins ont-ils réagi quand le jeune homme est allé leur emprunter des choses ?

> ALIX
> Ils ont dit : « Non, on ne peut pas. On en a besoin. »

> SOPHIE
> Ils ont dit : « D'accord, mais tu nous invites. »

> HUGO
> Ils ont dit : « D'accord, mais il faudra nous le rendre. »

Qui a raison ? Relève les phrases du texte qui justifient ta réponse.

**3** Coche ce que tu as compris.
Comment le jeune homme fait-il pour avoir une dinde ?

- [ ] Il va voir la vieille qui élève des dindes et il lui en demande une.
- [ ] Il va voir la vieille qui élève des dindes et il l'invite à condition qu'elle en apporte une.
- [ ] Il va voir la vieille qui élève des dindes et il l'invite sans rien lui demander.
- [ ] Il va voir la vieille qui élève des dindes et il va prendre une dinde.

**4** À la fin de l'histoire, pourquoi les convives ont-ils ri au lieu de se mettre en colère ?

# 10 Extraire les idées principales d'un texte

**Lis ce texte. Puis :**
- Souligne les mots importants de chaque paragraphe : les mots-clés, ceux qui font bien comprendre le sens du paragraphe.
- Écris un titre pour chaque paragraphe.

## LE RIZ

Le riz est une des plus anciennes céréales cultivées dans le monde. Les Chinois savaient déjà le faire pousser il y a plus de 6 500 ans. C'est la céréale la plus productive de toutes : pour un grain de riz semé, on peut récolter jusqu'à 100 grains. C'est la céréale la plus consommée dans le monde. Elle nourrit aujourd'hui plus de la moitié des hommes.
Dans tous les pays d'Asie, c'est la base de tous les repas.

Pour pousser, le riz a besoin de chaleur et d'eau. On dit qu'il pousse les pieds dans l'eau et la tête au soleil. On le cultive donc sous les climats chauds et humides : le climat équatorial, les climats tropicaux, mais aussi dans les pays autour de la Méditerranée.

Le riz est cultivé dans des champs aménagés pour retenir l'eau : les rizières. Des canaux amènent l'eau de la rivière dans les champs. Des écluses (des petites portes qui se lèvent et s'abaissent) retiennent l'eau ou la laissent s'écouler.
Dans certains pays d'Asie, on cultive le riz en montagne. Les paysans creusent la montagne pour construire des terrasses. Puis ils élèvent des murets en pierre. L'eau coule d'étage en étage, par des petits canaux, depuis le sommet de la montagne.

La première étape de la culture est le semis. On sème les grains de riz dans un petit champ couvert d'eau, la pépinière. Au bout de quelques semaines, quand les plants ont fait leurs premières feuilles, on les déterre et on les replante dans les rizières. C'est le repiquage, en ligne droite, bien espacés pour qu'ils aient la place de grandir et de se développer.
Après quelques mois, les épis de riz sont blonds et lourds de grains. Les paysans lèvent les écluses, la rizière s'assèche. Le riz finit de murir au sec.
La moisson peut commencer. On coupe les tiges. Puis on les frappe contre des pierres, ou on les piétine pour en détacher les grains. C'est le battage. Les grains sont ensuite étalés au soleil. Quand ils sont bien secs, c'est le moment du décorticage : on frotte les grains les uns contre les autres avec un pilon. Leur enveloppe éclate et libère la graine.

Avec la paille des tiges, on fait des sacs, des chapeaux, des paillassons.
Les enveloppes du riz décortiqué deviennent de la nourriture pour les animaux. Les grains abimés sont transformés en farine pour confectionner des galettes et des nouilles.

# Chez le jardinier

**1** Écris le dialogue entre le jeune homme et le jardinier.
Pour comprendre comment tu dois écrire, relis d'abord
le dialogue avec le fermier qui élève des poules (p. 149)
et le dialogue avec la vieille qui élève les dindes (p. 152).

*Il va trouver le jardinier. Il dit :*

*Le jardinier dit :*

Dessine le panier de légumes.

# 10 Apporter des précisions à la phrase : Où ? Quand ? Comment ? Pourquoi ?

- On peut étendre la phrase pour la préciser.
- Les groupes de mots qui répondent aux questions où ? quand ? comment ? pourquoi ? apportent des précisions à toute la phrase.

Où ? Je lis un livre d'aventures _____ .

Quand ? _____ , les arbres sont en fleurs.

Comment ? _____ , on peut fabriquer beaucoup d'objets.

Pourquoi ? Nous prendrons le bus _____ .

**1** Je souligne la partie de la phrase qui répond à la question *quand ?* —————————

Le dernier jour de l'année, on fait un bon repas.

Ce soir, je viens manger avec toi.

**2** Je souligne la partie de la phrase qui répond à la question *où ?* —————————

Le jeune homme a trouvé un grain de riz dans une fente du tiroir de la table.

À cette époque, il n'y avait pas l'eau courante dans les maisons.

**3** Je souligne la partie de la phrase qui répond à la question *pourquoi ?* —————————

Le jeune homme va chez son voisin pour emprunter une casserole.

Pour faire cuire le riz, il faut une grande casserole.

**4** Je souligne la partie de la phrase qui répond à la question *comment ?* —————————

Le jeune homme regarde tristement son grain de riz.

À la fontaine, on tire l'eau avec une pompe à main.

**5** J'écris une phrase pour répondre à la question. —————————

Où s'arrêtent les voitures ?

Quand viendras-tu ?

Comment allons-nous décorer le préau ?

# Le futur

Conjuguer au futur, c'est facile.
**Les terminaisons sont les mêmes pour tous les verbes.**

| | singulier | | | pluriel | |
|---|---|---|---|---|---|
| je, j' | tu | il, elle | nous | vous | ils, elles |
| -rai | -ras | -ra | -rons | -rez | -ront |

**1** Je conjugue au futur : j'écris les terminaisons.

*parler* : je parle_____ – tu parle_____ – il parle_____ – nous parle_____ – ils parle_____

*finir* : tu fini_____ – elle fini_____ – nous fini_____ – vous fini_____ – ils fini_____

*sortir* : elle sorti_____ – nous sorti_____ – vous sorti_____ – ils sorti_____

*vivre* : je viv_____ – tu viv_____ – elle viv_____ – nous viv_____ – vous viv_____

**2** J'écris un pronom de conjugaison qui convient.

Dans deux semaines, _____ recevrons notre famille qui habite à l'étranger.

Je suis heureuse car _____ reverrai ma cousine Clémence ! _____ fêtera

son anniversaire chez nous. _____ préparerons une fête et je suis sure

qu'_____ aimera ses cadeaux.

## • Mots mêlés •

• Conjugue les verbes.
Entoure-les dans la grille.

*apporter* ⤙→ elle _____

*cuire* ⤙→ elles _____

*donner* ⤙→ je _____

*emprunter* ⤙→ il _____

*finir* ⤙→ nous _____

*inviter* ⤙→ j' _____

*manger* ⤙→ tu _____

*mettre* ⤙→ nous _____          *passer* ⤙→ ils _____

*réfléchir* ⤙→ elle _____          *tirer* ⤙→ vous _____

| p | a | s | s | e | r | o | n | t | r |
|---|---|---|---|---|---|---|---|---|---|
| a | p | p | o | r | t | e | r | a | e |
| m | a | n | g | e | r | a | s | s | f |
| m | e | t | t | r | o | n | s | e | l |
| c | t | i | r | e | r | e | z | r | e |
| c | u | i | r | o | n | t | o | l | c |
| d | o | n | n | e | r | a | i | e | h |
| a | i | n | v | i | t | e | r | a | i |
| s | f | i | n | i | r | o | n | s | r |
| e | m | p | r | u | n | t | e | r | a |

• Avec les lettres qui restent, complète :

Elle était bien grande pour un seul grain de riz, la _____ !

# 11 Le tour du Monde avec le soleil

*Chaque photo doit te rappeler un pays du texte de lecture.*
**Choisis une photo. Dans quel pays es-tu ?** _____
**Qu'est-ce qui t'a mis sur la voie ? Dis ce que tu sais de ce pays.**

## Les mots du monde

# J'admire

*Tu fais le tour du monde avec un ami ou une amie. Vous admirez les paysages.*
À deux, choisissez bien les mots de l'admiration.
Partagez ce que vous ressentez avec tout votre corps : ce que vous voyez,
ce que vous entendez, ce que vous respirez, ce à quoi vous pensez...

Un champ de tulipes aux Pays-Bas

« La maison qui danse » à Prague, en Tchéquie

Le parc géologique national de Zhangye Danxia, en Chine

Les chutes du Zambèze, à la frontière de la Zambie
et du Zimbabwe

> Que c'est beau !
> Je suis émerveillé (émerveillée).
> C'est formidable, étonnant, merveilleux, magnifique, superbe, incroyable.
> Oh la la !

# 11 J'écoute et je comprends

**1** Présent ou futur ? J'écoute les verbes et je coche. ———————————

|  | 1 | 2 | 3 | 4 | 5 | 6 | 7 | 8 | 9 | 10 |
|---|---|---|---|---|---|---|---|---|---|---|
| présent |  |  |  |  |  |  |  |  |  |  |
| futur |  |  |  |  |  |  |  |  |  |  |

**2** Je lis puis j'écoute. J'entoure les mots qui ont changé. ———————————

Tu crains le froid ? Tu voudrais admirer une aurore boréale bien au chaud ?

C'est possible. Au nord de la Finlande, tu peux passer la nuit dans un iglou au toit

de verre. Bien installé dans ton lit, enveloppé dans une couverture chaude et douce,

tu contempleras le superbe spectacle lumineux offert par la nature. Tu t'endormiras

bercé par la danse de la lumière et des étoiles. Et quand tu ouvriras les yeux,

au petit matin, tu seras au milieu d'un merveilleux paysage blanc et silencieux.

**3** J'écoute puis je réponds aux questions. ———————————

– Quelle activité pratique Pierre ?

– Pourquoi cet affichage le rend-il triste ?

**4** J'écoute puis je choisis le résumé qui correspond au texte. ———————————

**a.** Un pêcheur de Nouvelle-Zélande a capturé une pieuvre dans ses filets. Il l'a appelée
Inky et il l'a donnée à l'aquarium national. Mais Inky s'ennuyait. Elle s'est faufilée
par un tuyau d'évacuation et elle est allée rejoindre le pêcheur. Le directeur
de l'aquarium est content d'être débarrassé de cet animal encombrant et désobéissant.

**b.** La pieuvre Inky, donnée par un pêcheur à l'aquarium national de Nouvelle-Zélande,
s'est échappée. Elle a profité d'un petit espace libre au sommet de son aquarium
pour sortir, ramper sur le sol, se glisser dans un tuyau d'évacuation et rejoindre la mer.
C'est une preuve de plus de l'intelligence et de la souplesse de ces animaux.

**c.** La pieuvre Inky a disparu de l'aquarium national de Nouvelle-Zélande. Le directeur
n'a pas été surpris. Il pense que des amis des animaux sont entrés par un tuyau
d'évacuation, puis ont rampé sur le sol et ont ouvert l'aquarium d'Inky. La pieuvre
est un animal intelligent. Elle a compris qu'ils venaient la délivrer et elle les a suivis.

# Le tour du Monde avec le soleil

**1** Quand il est 20 heures à Paris, quelle heure est-il au Cap-Vert ? —————————————

**2** À la réception de cet hôtel, au Québec, des horloges indiquent l'heure —————————
à différents endroits du monde. Mets les horloges à l'heure.

LOS ANGELES
__ : __

QUÉBEC
17:00

MINDELO
__ : __

PARIS
__ : __

**3** Quand Victor et Louise vont se coucher, dans quels pays ———————————————
les enfants prennent-ils leur déjeuner ?

**4** Qui a besoin de ces objets pour son travail ? Dans quel pays ? —————————————

# 11 Où ferons-nous la ronde ?

Où ferons-nous la ronde ?
La tisserons-nous sur le rivage ?
La mer dansera avec mille vagues
tressant un ruban de fleurs d'orangers.

Irons-nous au pied des montagnes ?
La montagne va nous répondre.
Ce sera comme si les pierres du monde
Voulaient toutes chanter !

La ferons-nous mieux au bois ?
La voix et la voix il va tresser,
et des chants d'enfants et d'oiseaux
partiront au vent, s'embrasser.

La ronde, nous la ferons infinie !
Nous irons la tresser au bois,
nous la ferons au pied des montagnes
et sur toutes les plages de l'Océan !

Gabriella Mistral,
*Où ferons-nous la ronde ?*
in *Ternura*, 1924, traduction
inédite d'Éliséo Fernandez.

1. Comment fait-on une ronde ?
   Pourquoi la poétesse dit-elle *tisser la ronde* ?

2. Dans les trois premières strophes, comment la nature
   entre-t-elle dans la ronde des enfants ?
   Pour réfléchir, tu peux t'aider de l'article de dictionnaire.

3. Comment la dernière strophe répond-elle à la question du titre ?

**tresser** (verbe) ▶ conjug. n° 3
   **1.** Entrelacer pour faire une tresse.
   *Amandine sait* **tresser** *ses cheveux.* **2.** Fabriquer un objet en entrelaçant des fils, des brins, etc. *Une couronne de fleurs* **tressées**.

# Articuler – Contrôler l'intensité et l'expression

**1** **Je lis ces phrases de plus en plus vite.** ─────────────

1. Si tu photographies un vieil éléphant ventru et fiévreux, méfie-toi de ses défenses !

2. Romain tient le pinceau bien en main pour peindre le chien du gardien.

**2** **Lis le texte une première fois silencieusement.** ─────────────

1. Qui sont les personnages ? Où sont-ils ? Que font-ils ?

2. Souligne les mots qui indiquent comment lire.
   Quand il n'y a pas d'indication dans le texte, réfléchis au sens de la phrase,
   regarde la ponctuation et décide comment tu liras.

3. À plusieurs, préparez la lecture, puis présentez votre travail à la classe.

*Une énorme pêche a poussé dans le jardin de Piquette et Éponge, les tantes de James.*
*La foule arrive pour voir cette merveille.*

– Entrez ! Entrez donc ! glapit tante Piquette. Un shilling, ce n'est pas cher pour voir
la pêche géante !

– Demi-tarif pour les enfants de moins de six semaines ! hurla tante Éponge pour ne pas
être en reste.

– Chacun son tour, s'il vous plait ! Ne poussez pas ! Vous avez tout votre temps !

– Hé, vous, là-bas ! Revenez ! Vous n'avez pas payé !

[...] Mais tandis que la foire battait son plein, le pauvre James était enfermé à clef dans sa chambre
et ce n'est que par les barreaux de sa fenêtre qu'il pouvait voir la foule qui se pressait dans le jardin.

– Ce sale gosse serait capable de tout gâcher si nous lui permettions de sortir, avait dit tante
Piquette le matin.

– Oh ! s'il vous plait, avait supplié James. Ça fait des années et des années que je n'ai vu d'autres
enfants. Et il y en aura des tas, je pourrais jouer enfin ! et je pourrais peut-être vous aider
à distribuer vos tickets.

– Pas question ! avait répondu sèchement tante Éponge. Ta tante Piquette et moi avons l'intention
de devenir millionnaires. Des comme toi ne peuvent que gâcher nos affaires.

Ce n'est qu'à la fin du premier jour, à l'heure où les visiteurs avaient tous quitté le jardin pour
rentrer chez eux, que les tantes firent sortir le petit James de sa prison en lui donnant l'ordre
de ramasser les peaux de bananes et d'oranges ainsi que les papiers fripés que la foule avait
laissés sur le gazon.

– Ne pourrais-je pas manger quelque chose avant ? demanda-t-il. Je n'ai rien pris depuis hier soir !

– Non ! déclarèrent les tantes en le poussant par la porte. Nous sommes trop occupées pour faire
la cuisine. Nous allons compter nos sous !

– Mais il fait noir ! se lamenta James.

– Sors ! hurlèrent les tantes. Et ne rentre pas avant d'avoir tout nettoyé !

La porte claqua. La clef tourna dans la serrure.

Roald Dahl, *James et la grosse pêche* © Éditions Gallimard, www.gallimard.fr, Folio Junior, 1988.

# 11 Les mots invariables : les adverbes

Les **adverbes** précisent le sens du verbe ou de l'adjectif.
Les adverbes sont des **mots invariables**.
J'entoure l'adverbe dans chaque phrase.

Finnboga s'habille chaudement. Elle met une doudoune très épaisse.

Ce soir, les Islandais s'habillent chaudement. Ils mettent des doudounes très épaisses.

**1** Je souligne les adverbes. J'entoure le verbe ou l'adjectif qu'ils précisent.

   **a.** Le gardien du musée surveille attentivement les œuvres d'art.

   **b.** Les hommes préhistoriques ont peint de très belles peintures sur les parois de grottes.

     Certaines peintures sont parfaitement conservées.

   **c.** La brodeuse travaille soigneusement. Ses nappes sont vraiment attirantes,

     elles plairont aux touristes.

**2** Je choisis l'adverbe qui va bien et je l'écris à sa place.

| toujours | rarement | tellement | surtout |
|---|---|---|---|

   **a.** Pierre aime _____ la mousse au chocolat !

     Il en demande _____ à sa mère.

   **b.** Nadia regarde _____ la télévision

     car elle aime _____ lire.

## • Mots croisés •

Écris l'adjectif qui appartient
à la famille de l'adverbe.

   **1.** *profondément*

   **2.** *légèrement*

   **3.** *complètement*

   **4.** *autrement*

   **5.** *brusquement*

   **6.** *fortement*

   **7.** *lentement*

   **8.** *difficilement*

   **9.** *joliment*

   **10.** *rapidement*

   **11.** *parfaitement*

# Le futur des verbes *être*, *avoir*, *aller*, *venir*

Quand je conjugue les verbes *être*, *avoir*, *aller*, *venir* au futur :
- les terminaisons sont les mêmes que pour les autres verbes :

  j'au_____ – tu viend_____ – elle se_____ – nous i_____

  vous au_____ – ils se_____

- c'est le début du verbe qui change.
  J'apprends ces conjugaisons par cœur.

**1** J'entoure le verbe. J'écris son infinitif.

Demain, je serai dans le car ! Avec ma classe,

nous irons passer la journée dans un parc naturel.

Nous serons nombreux car nous aurons

plusieurs parents avec nous. Ils iront à l'arrière du car,

ils seront bien ensemble !

**2** Je conjugue au futur.

**a.** C'est les vacances. Ce soir, il y *(avoir)* _____ un spectacle nocturne

au château ! Des projecteurs *(illuminer)* _____ les tours.

À l'intérieur du château, deux-cents figurants *(avoir)* _____ des torches.

Ils *(venir)* _____ sur les remparts et ils *(agiter)* _____

doucement leurs lumières.

**b.** En bas, dans la plaine, les spectateurs *(pouvoir)* _____ alors allumer

leurs flambeaux et le défilé *(pouvoir)* _____ commencer.

Le public *(aller)* _____ dans les fossés qui entourent le château.

Moi, je *(faire)* _____ des photos pour le journal de classe.

**c.** Quand je *(revenir)* _____ , je *(montrer)* _____ mes photos

de vacances. Mes copains aussi *(avoir)* _____ leurs photos.

Nous *(organiser)* _____ une grande exposition dans le couloir

de l'école. Nos parents *(venir)* _____ la voir.

# 12 En même temps ?

*Emma, Johanna et Léonel vivent très loin les uns des autres, mais ils sont correspondants.*
*Dans leur école, ils peuvent se parler sur Skype une fois par mois.*
À trois, jouez leur conversation.
Attention ! Ce n'est pas le même moment de la journée pour chacun.

# Possible ? Pas possible ?
# Je donne mon avis

À deux, choisissez une situation et discutez. ────────────────
L'un de vous défend l'idée que c'est possible et donne ses arguments.
L'autre pense que c'est impossible et donne aussi ses arguments.
Préparez-vous à présenter votre discussion à la classe.

Un chien et un oiseau qui s'embrassent.
Possible ? Pas possible ?

Une vache sur le porte-bagage d'une moto.
Possible ? Pas possible ?

Un bébé dinosaure aujourd'hui.
Possible ? Pas possible ?

Un singe qui fait un parapluie avec une feuille.
Possible ? Pas possible ?

> À mon avis…
> D'après moi…
> Je pense que, je crois que, je suis sûr (sure) que…
> Je trouve que…
> Je suis d'accord, je ne suis pas d'accord parce que…
> C'est possible… Ce n'est pas possible… Ça ne se peut pas…

# 12 J'écoute et je comprends

J'écoute le texte *À la gare*, puis je réponds aux questions. ───────────────

**Première écoute** (du début ↦ *statue de la Liberté*)

a. Vrai ou faux. Je coche ce que je comprends.

Dans cette gare,

– on peut partir, mais on ne peut pas revenir.  ☐ VRAI  ☐ FAUX

– il y a un guichet et un chef de gare.  ☐ VRAI  ☐ FAUX

– il y a peu de voyageurs.  ☐ VRAI  ☐ FAUX

– les billets coutent cher.  ☐ VRAI  ☐ FAUX

– les billets sont tout petits.  ☐ VRAI  ☐ FAUX

– les billets sont tous les mêmes.  ☐ VRAI  ☐ FAUX

– on peut acheter un billet pour n'importe quelle destination.  ☐ VRAI  ☐ FAUX

b. Cette gare est en France. Pourquoi le voyageur qui demande un billet pour New York ne connait-il pas la géographie ?

**Deuxième écoute** (depuis le début ↦ *qui ne connaissait pas la géographie*)

a. Quel est le seul ennui que l'on peut avoir dans cette gare ?

☐ Les trains sont toujours en retard.

☐ On peut perdre son billet.

☐ Les voyageurs perdent leur valise.

☐ Les annonces par hautparleurs sont trop fortes.

b. Écris deux choses que tu trouves bizarres dans cette gare.

**Troisième écoute** (texte entier)

a. Que se passe-t-il dans cette gare ? Je coche ce que j'ai compris.

☐ Les voyageurs se dépêchent lorsque leur train est annoncé.

☐ Les voyageurs parlent entre eux.

☐ Personne ne prend le train.

☐ On partage les provisions qu'on a apportées.

☐ On part en voyage en rêve.

b. Pourquoi n'est-ce pas grave de ne pas connaitre la géographie dans cette gare ?

# Le tour du Monde avec le soleil
## (texte entier)

**1** Combien d'endroits du monde as-tu visités ? ———————————————

**2** Parmi ces endroits, lesquels sont des iles ? ———————————————
Écris-en la liste. Utilise les textes et les planisphères.

**3** Pense aux personnes que tu as rencontrées. ———————————————

a. Plusieurs ont une activité liée au tourisme. Complète le tableau.

| Qui ? | Où ? | Quelle activité ? |
|-------|------|-------------------|
| | | |
| | | |
| | | |
| | Hobbiton | visite du village des Hobbits |

b. Présente une personne qui a une activité autre que touristique.

**4** Dans quelle région du monde, autre que la tienne, aimerais-tu vivre ? ———————
Explique pourquoi.

# 12 Poser des questions sur un texte

Lis ce texte puis écris cinq questions.
Tu les poseras à tes camarades.

**De nombreux endroits sur Terre pourraient
ne plus être habitables à cause...**

De nombreux endroits sur Terre pourraient
ne plus être habitables à cause des effets
du réchauffement climatique.

Les inondations, les sècheresses, les cyclones,
mais également la montée du niveau des mers
obligent en effet certaines populations à quitter
leur domicile. On les appelle les réfugiés climatiques.

L'an dernier, 19,3 millions de personnes ont été obligées de fuir en raison de catastrophes
naturelles. Les spécialistes estiment qu'il pourrait y avoir 250 millions de réfugiés climatiques
d'ici 2050.

Shabana, 8 ans, habite sur une petite ile située sur la rivière Jamuna, dans le nord
du Bangladesh (Asie). Plusieurs fois par an, elle doit quitter sa maison avec ses parents
et ses 4 frères et sœurs pour se réfugier plus loin, à l'intérieur des terres. Elle ne peut
pas aller régulièrement à l'école.

Les pluies trop abondantes et la fonte des neiges de l'Himalaya font déborder la rivière.
Bien plus qu'auparavant : « avant il y avait une inondation par an, maintenant il y en a
au moins trois », témoigne son papa.

Shabana n'est pas la seule dans ce cas. Selon une étude récente de l'Unicef
[organisation qui protège les enfants], 500 millions d'enfants vivent, comme elle,
dans des endroits très souvent inondés. Principalement en Asie. Près de 160 millions
sont aussi régulièrement victimes de la sècheresse, notamment en Afrique.

Ces phénomènes sont aggravés par le réchauffement du climat. Plus fragiles,
les enfants sont parmi les premiers touchés.

*Journal des enfants*, le 06/01/2016.

# Ma ville, mon village

Dans ce tour du monde, tu as visité des lieux, découvert des métiers, rencontré des personnes. ——
Continue le tour du monde : présente ta ville ou ton village de la même façon.

Illustre ta présentation : dessin, photo, document...

# 12 Révisions

À la fin de cette année :

- **Je connais** plusieurs natures de mots :
  le déterminant, le nom, l'adjectif qualificatif,
  le pronom de conjugaison, le verbe, l'adverbe, la préposition.

- **Je connais** plusieurs fonctions des mots. Je sais que :
  – le nom peut être sujet du verbe, ou complément du verbe, ou complément du nom ;
  – l'adjectif précise le nom ;
  – l'adverbe précise un verbe ou un adjectif.

Je colorie.

- ☐ les pronoms
- ☐ les noms
- ☐ les verbes
- ☐ les adjectifs
- ☐ les adverbes
- ☐ les prépositions
- ☐ les déterminants

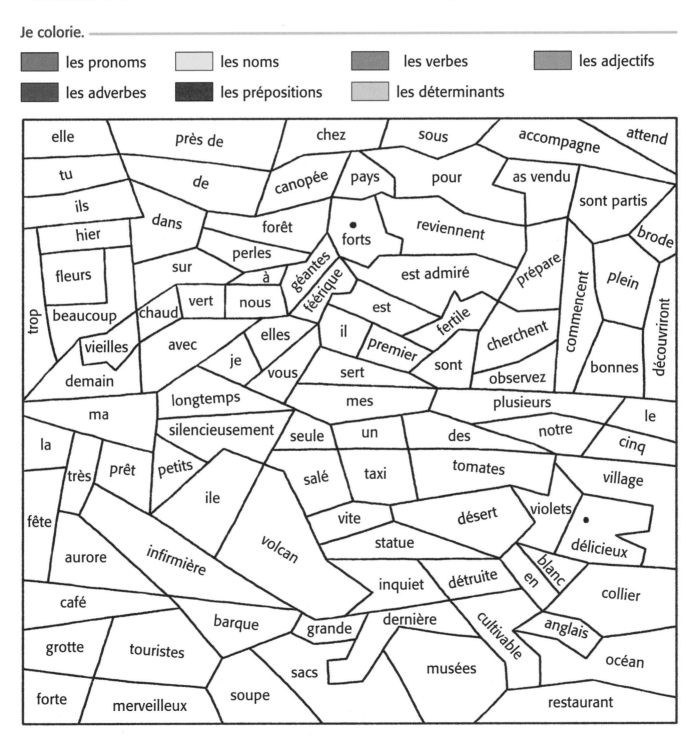

# Le futur des verbes
## faire, dire, pouvoir, vouloir, prendre

Quand je conjugue les verbes *faire*, *dire*, *pouvoir*, *vouloir*, *prendre* au futur :

• les terminaisons sont les mêmes que pour les autres verbes :

je fe**rai** – tu prend**ras** – il voud**ra** – nous pour**rons** – vous di**rez** – ils pour**ront**

• pour les verbes *faire*, *pouvoir*, *vouloir*, c'est le début qui change.
J'apprends ces conjugaisons par cœur.

**1** Je conjugue au futur.

| faire | pouvoir | vouloir |
|---|---|---|
| je ferai | je pourrai | je voudrai |
| tu | tu | tu |
| il, elle | il, elle | il, elle |
| nous | nous | nous |
| vous | vous | vous |
| ils, elles | ils, elles | ils, elles |

prendre : je _____ , tu _____ , il, elle _____
nous _____ , vous _____ , ils, elles _____

**2** Je révise les conjugaisons que je connais.

| | présent | imparfait | futur | passé composé |
|---|---|---|---|---|
| **être** | nous _____ | j'_____ | vous _____ | tu _____ |
| **avoir** | tu _____ | nous _____ | elles _____ | j'_____ |
| **aller** | je _____ | tu _____ | nous _____ | il _____ |
| **faire** | vous _____ | elle _____ | je _____ | ils _____ |
| **dire** | vous _____ | il _____ | tu _____ | nous _____ |
| **pouvoir** | elle _____ | nous _____ | vous _____ | tu _____ |
| **porter** | nous _____ | ils _____ | elle _____ | vous _____ |
| **venir** | je _____ | tu _____ | nous _____ | elle _____ |

# Je voudrais me coucher tard !

## Dossier de documentation

### Document 1

**LES BESOINS DE SOMMEIL DES ENFANTS SCOLARISÉS AU COURS DE LA SEMAINE**

**Enfant**

Maternelle / 3-5 ans :
**de 11 à 13 heures**

Primaire / 6-12 ans :
**de 9 à 11 heures**

**Adolescent**

Collège et lycée
à partir de 12 ans :
**de 8h30 à 9h30**

© Institut national du sommeil et de la vigilance

### Document 2

**Rituels du coucher**

| n = 268 | 3-5 ans | 5-8 ans | 8-11 ans |
|---|---|---|---|
| Lire | 20 % | 51 % | 69 % |
| Câlin | 67 % | 54 % | 48 % |
| Histoire | 63 % | 41 % | 10 % |
| Musique | 10 % | 6 % | 8 % |
| Parents | 11 % | 2 % | 3 % |
| Objet | 69 % | 51 % | 33 % |
| Lumière | 24 % | 30 % | 20 % |
| Porte ouverte | 55 % | 55 % | 53 % |

Enquête sur 268 enfants de maternelles et primaires.
(S. Royant-Parola)

http://reseau.morphee.fr

### Document 3

Interview de Violaine Londe, psychologue spécialiste du sommeil par le journal **1jour1actu**.

*1jour1actu : Pourquoi le sommeil est-il important ?*

**Violaine Londe :** Le sommeil est un besoin vital, tout comme manger ou boire. On a tendance à l'oublier ! Quand on a soif, on boit, mais quand on a sommeil, on ne va pas toujours dormir. Pourtant, il est nécessaire d'assouvir le besoin de dormir. Mais pas n'importe comment. Nous sommes des animaux de jour et notre sommeil dépend de la lumière. Cela signifie que notre corps est programmé pour être au repos la nuit et actif la journée.

*1jour1actu : Quel est le rôle du sommeil ?*

**Violaine Londe :** Pendant que tu dors, ton corps fait le plein d'énergie. Le sommeil te permet d'être en forme la journée, physiquement mais aussi intellectuellement. C'est grâce à un bon sommeil que tu es de bonne humeur et que tu peux faire plein de choses pendant la journée. C'est aussi le sommeil qui te permet de grandir ou de mémoriser ce que tu vis dans la journée. Le sommeil rend ton corps plus fort et lui permet de lutter contre certaines maladies. Le manque de sommeil dérègle le fonctionnement de notre corps. Il devient plus fragile.

*1jour1actu : Entre 7 et 12 ans, quelle est la durée idéale de sommeil ?*

**Violaine Londe :** Cela varie d'un individu à l'autre. Il y a des petits dormeurs qui n'ont pas besoin de dormir beaucoup et de gros dormeurs. Si tu te sens bien pendant la journée, que tu n'as pas de coup de fatigue, alors c'est que tu as suffisamment dormi ! Généralement à ton âge, tu devrais dormir au moins 9 heures d'affilée la nuit pour être en forme.

Coline Arbouet, « es-tu un bon dormeur ? », 19 décembre 2012, www.1jour1actu.com/sciences

Document 4

# Les écrans et le sommeil

Passer du temps sur les écrans peut avoir une influence négative sur le sommeil. Un sommeil perturbé est néfaste pour la santé de l'enfant. En effet, cela peut provoquer chez lui de l'irritabilité, des difficultés de concentration et de mémorisation, des difficultés scolaires ou une prise de poids. Les parents doivent donc être attentifs et fixer des règles.

## Le temps de pratique des écrans ne doit pas empiéter sur le temps de sommeil

« Les parents doivent donner des règles claires et ne pas transiger sur le temps de sommeil nécessaire à la poursuite d'une activité normale », recommande le Docteur Sylvie Royant-Parola, médecin psychiatre et Présidente du réseau Morphée. De plus, trop de temps d'écran favorise la sédentarité, ce qui n'est pas bénéfique pour le sommeil.

## Une heure limite pour les écrans

La pratique des écrans étant souvent captivante, les enfants ne sont pas attentifs aux signaux qui les poussent à aller se coucher. Il est donc préférable de ne plus utiliser d'écrans une heure trente avant d'aller se coucher. Sylvie Royant-Parola préconise de ne pas laisser de consoles de jeux portables, d'ordinateurs, de smartphones ou de tablettes dans la chambre au moment du coucher afin de réduire les tentations.

www.unaf.fr

Document 5

*Madame, Monsieur,*

*Depuis quelques jours, je remarque que Julie est très fatiguée. Elle a du mal à rester attentive. Elle pose souvent sa tête sur la table. Elle ne suit pas bien le travail de la classe, elle rêve. En récréation, elle reste assise dans son coin, elle n'a pas la force de jouer avec les autres. À d'autres moments, elle s'énerve.*
*Je me demande si elle dort suffisamment.*
*Si vous voulez en parler avec moi, vous pouvez me demander un rendez-vous.*

*Madame Roy, maitresse de CE2*

# DOC ? DAC !

*Yanis est abonné au magazine DOC ? DAC !*
*Il écrit pour parler d'un problème et demander de l'aide aux autres lecteurs.*

Cher **DOC ? DAC !**

J'ai un problème. Mes parents veulent toujours que je me couche tôt. Moi, je voudrais me coucher plus tard et regarder un film à la télévision ou jouer avec eux à un jeu. Mais ma mère dit : « Demain, tu dois te lever à 7 heures pour être à l'heure à l'école. » Ce n'est pas juste, ma grande sœur a le droit de se coucher plus tard, elle. Cela m'énerve et après, j'ai du mal à m'endormir. Je voudrais lire un peu dans mon lit, mais ma mère vient tout de suite éteindre la lumière. Pourtant, 9 heures, ce n'est pas très tard.

Comment faire comprendre à mes parents que je ne suis plus un bébé ?

Aidez-moi s'il vous plait.

Yanis, 9 ans

**TÂCHE :** Réponds à Yanis. Utilise ta documentation.

**1** Explique-lui pourquoi ses parents ont raison. ————————————————

**2** Si tu penses qu'il a aussi raison sur certains points, dis-lui lesquels et pourquoi. ————————

**3** Donne-lui un ou plusieurs conseils ————————————————
    – pour s'endormir,
    – pour discuter avec ses parents.

# Tableaux de conjugaison

| | présent | futur | imparfait | passé composé |
|---|---|---|---|---|
| **être** | je suis<br>tu es<br>il est, elle est<br>nous sommes<br>vous êtes<br>ils sont, elles sont | je serai<br>tu seras<br>il sera, elle sera<br>nous serons<br>vous serez<br>ils seront, elles seront | j'étais<br>tu étais<br>il était, elle était<br>nous étions<br>vous étiez<br>ils étaient, elles étaient | j'ai été<br>tu as été<br>il a été, elle a été<br>nous avons été<br>vous avez été<br>ils ont été, elles ont été |
| **avoir** | j'ai<br>tu as<br>il a, elle a<br>nous avons<br>vous avez<br>ils ont, elles ont | j'aurai<br>tu auras<br>il aura, elle aura<br>nous aurons<br>vous aurez<br>ils auront, elles auront | j'avais<br>tu avais<br>il avait, elle avait<br>nous avions<br>vous aviez<br>ils avaient, elles avaient | j'ai eu<br>tu as eu<br>il a eu, elle a eu<br>nous avons eu<br>vous avez eu<br>ils ont eu, elles ont eu |

| | présent | futur | imparfait | passé composé |
|---|---|---|---|---|
| **aller** | je vais<br>tu vas<br>il va, elle va<br>nous allons<br>vous allez<br>ils vont, elles vont | j'irai<br>tu iras<br>il ira, elle ira<br>nous irons<br>vous irez<br>ils iront, elles iront | j'allais<br>tu allais<br>il allait, elle allait<br>nous allions<br>vous alliez<br>ils allaient, elles allaient | je suis allé<br>tu es allé<br>il est allé<br>nous sommes allés<br>vous êtes allés<br>ils sont allés<br><br>je suis allée<br>tu es allée<br>elle est allée<br>nous sommes allées<br>vous êtes allées<br>elles sont allées |
| **venir** | je viens<br>tu viens<br>il vient, elle vient<br>nous venons<br>vous venez<br>ils viennent, elles viennent | je viendrai<br>tu viendras<br>il viendra, elle viendra<br>nous viendrons<br>vous viendrez<br>ils viendront, elles viendront | je venais<br>tu venais<br>il venait, elle venait<br>nous venions<br>vous veniez<br>ils venaient, elles venaient | je suis venu<br>tu es venu<br>il est venu<br>nous sommes venus<br>vous êtes venus<br>ils sont venus<br><br>je suis venue<br>tu es venue<br>elle est venue<br>nous sommes venues<br>vous êtes venues<br>elles sont venues |

| | présent | futur | imparfait | passé composé |
|---|---|---|---|---|
| **prendre** | je prends<br>tu prends<br>il, elle prend<br>nous prenons<br>vous prenez<br>ils, elles prennent | je prendrai<br>tu prendras<br>il, elle prendra<br>nous prendrons<br>vous prendrez<br>ils, elles prendront | je prenais<br>tu prenais<br>il, elle prenait<br>nous prenions<br>vous preniez<br>ils, elles prenaient | j'ai pris<br>tu as pris<br>il, elle a pris<br>nous avons pris<br>vous avez pris<br>ils, elles ont pris |
| **voir** | je vois<br>tu vois<br>il, elle voit<br>nous voyons<br>vous voyez<br>ils, elles voient | je verrai<br>tu verras<br>il, elle verra<br>nous verrons<br>vous verrez<br>ils, elles verront | je voyais<br>tu voyais<br>il, elle voyait<br>nous voyions<br>vous voyiez<br>ils, elles voyaient | j'ai vu<br>tu as vu<br>il, elle a vu<br>nous avons vu<br>vous avez vu<br>ils, elles ont vu |
| **pouvoir** | je peux<br>tu peux<br>il, elle peut<br>nous pouvons<br>vous pouvez<br>ils, elles peuvent | je pourrai<br>tu pourras<br>il, elle pourra<br>nous pourrons<br>vous pourrez<br>ils, elles pourront | je pouvais<br>tu pouvais<br>il, elle pouvait<br>nous pouvions<br>vous pouviez<br>ils, elles pouvaient | j'ai pu<br>tu as pu<br>il, elle a pu<br>nous avons pu<br>vous avez pu<br>ils, elles ont pu |
| **vouloir** | je veux<br>tu veux<br>il, elle veut<br>nous voulons<br>vous voulez<br>ils, elles veulent | je voudrai<br>tu voudras<br>il, elle voudra<br>nous voudrons<br>vous voudrez<br>ils, elles voudront | je voulais<br>tu voulais<br>il, elle voulait<br>nous voulions<br>vous vouliez<br>ils, elles voulaient | j'ai voulu<br>tu as voulu<br>il, elle a voulu<br>nous avons voulu<br>vous avez voulu<br>ils, elles ont voulu |

| | présent | futur | imparfait | passé composé |
|---|---|---|---|---|
| **marcher** | je marche<br>tu marches<br>il, elle marche<br>nous marchons<br>vous marchez<br>ils, elles marchent | je marcherai<br>tu marcheras<br>il, elle marchera<br>nous marcherons<br>vous marcherez<br>ils, elles marcheront | je marchais<br>tu marchais<br>il, elle marchait<br>nous marchions<br>vous marchiez<br>ils, elles marchaient | j'ai marché<br>tu **as** marché<br>il, elle a marché<br>nous **avons** marché<br>vous **avez** marché<br>ils, elles **ont** marché |
| **finir** | je finis<br>tu finis<br>il, elle finit<br>nous finissons<br>vous finissez<br>ils, elles finissent | je finirai<br>tu finiras<br>il, elle finira<br>nous finirons<br>vous finirez<br>ils, elles finiront | je finissais<br>tu finissais<br>il, elle finissait<br>nous finissions<br>vous finissiez<br>ils, elles finissaient | j'ai fini<br>tu **as** fini<br>il, elle a fini<br>nous **avons** fini<br>vous **avez** fini<br>ils, elles **ont** fini |
| **faire** | je fais<br>tu fais<br>il, elle fait<br>nous faisons<br>vous faites<br>ils, elles **font** | je ferai<br>tu feras<br>il, elle fera<br>nous ferons<br>vous ferez<br>ils, elles feront | je faisais<br>tu faisais<br>il, elle faisait<br>nous faisions<br>vous faisiez<br>ils, elles faisaient | j'ai fait<br>tu **as** fait<br>il, elle a fait<br>nous **avons** fait<br>vous **avez** fait<br>ils, elles **ont** fait |
| **dire** | je dis<br>tu dis<br>il, elle dit<br>nous disons<br>vous dites<br>ils, elles disent | je dirai<br>tu diras<br>il, elle dira<br>nous dirons<br>vous direz<br>ils, elles diront | je disais<br>tu disais<br>il, elle disait<br>nous disions<br>vous disiez<br>ils, elles disaient | j'ai dit<br>tu **as** dit<br>il, elle a dit<br>nous **avons** dit<br>vous **avez** dit<br>ils, elles **ont** dit |

# Table des illustrations

D.R. : Malgré nos efforts, il nous a été impossible de joindre certains photographes ou leurs ayants droits, ainsi que les éditeurs ou leurs ayants droits pour certains documents, afin de solliciter l'autorisation, mais nous avons naturellement réservé en notre comptabilité des droits usuels.

Relecture : Elise Gaignebet
Principe maquette : Stéphanie Hamel
Adaptation Maquette : Sophie Duclos
Mise en pages : Librairie nationale, Abdelkrim Boutaïb
Iconographie : Hatier Illustration

Illustrations : Pierre
Boutavant : p. 102
Sylvain Frecon : p. 20, 57, 64, 65, 77, 96
Aurélia Fronty : p. 76, 82
Lise Herzog : p. 5, 10, 13, 21, 37, 38, 39, 40, 45, 60, 78, 81, 83, 101
Vincent Landrin : p. 54, 104

Achevé d'imprimer en Italie par L.E.G.O. S.p.A. (TN)
Dépôt légal : 98806-6/06 - Septembre 2019